Christian Gröll / David Sehrbrock

clever zum Abitur

Christian Gröll / David Sehrbrock

clever zum Abitur

Erfolgsstrategien
für die Oberstufe

Kösel

ISBN 3-466-30551-9
© 2001 by Kösel-Verlag GmbH & Co., München
Printed in Germany. Alle Rechte vorbehalten
Druck und Bindung: Kösel, Kempten
Visuelles Konzept und Umschlaggestaltung: Fortune, München
Umschlagmotiv: gettyone Stone/Sean Murphy

*Gedruckt auf umweltfreundlich hergestelltem Werkdruckpapier
(säurefrei und chlorfrei gebleicht)*

inhalt

los geht's

Da sind wir wieder! Nach dem Erfolg mit »Clever durch die Schule« kommt hier die Version für alle Fortgeschrittenen. Fortgeschritten nicht nur, weil für dich nun die Oberstufe vor der Tür steht oder du schon mittendrin steckst, sondern auch, weil du mit den Tipps aus dem ersten Buch schon Erfahrungen sammeln konntest und zu den alten Hasen im Schülermanagement gehörst – du weißt, dass unsere Erfolgsstrategie aufgegangen ist!

> Oder etwa nicht? Dann kannst du in den Checklisten auf den nächsten Seiten das Wichtigste nachlesen. Wenn du noch mehr Infos suchst, besorg dir unser Buch
>
> **Clever durch die Schule**
> Managementstrategien für bessere Noten
> Kösel-Verlag

Noch mehr Infos gibt's hier.

Jetzt gilt es für dich und uns, die Sache mit dem Erfolgsmanagement in der Oberstufe durchzuziehen. Denn gerade hier, wo alles und jeder auf das Abitur zuarbeitet, gilt mehr denn je:

Erfolg = Organisation + Präsentation + Wissen

Wir lassen dich nicht im Stich, wenn es darum geht, ein spitzenmäßiges Referat zu halten oder eine umfangreiche Hausarbeit in Perfektion zu erstellen, die richtigen Kurse und Lehrer zu wählen, einwandfreie Protokolle anzufertigen und vieles mehr. Im Zentrum steht natürlich das allseits gefürchtete Abitur – schriftlich wie mündlich.

Eines vorab

Im Folgenden wollen wir dir möglichst viele nützliche Tipps mit auf den Weg zum Abi geben. Klar, dass das eine oder andere dir bekannt vorkommt, manches aber auch völlig neu sein mag und unser Buch auch keinen Anspruch auf Vollständigkeit erhebt.

Wähle das aus, was für deine Situation passt.

Abraten möchten wir dir davon, plötzlich alle Tricks, Tipps, Planungs- und Arbeitstechniken auf einmal anzuwenden und gewohnte Lernmethoden, mit denen du die letzten Jahre gut gefahren bist, von heute auf morgen über Bord zu werfen. Vielmehr sollte sich jede/r das heraussuchen, was für die eigene Situation passt und in der verbleibenden und meist knapp bemessenen Zeit auch umzusetzen ist.

Das Lernen in der Oberstufe und fürs Abitur können wir dir dadurch natürlich weder abnehmen noch ersparen – mit unserer Strategie der cleveren Organisation des Lernens wirst du aber weitaus Zeit sparender, effektiver, stressfreier, eben: erfolgreicher lernen und mit der richtigen Präsentation deines Wissens bekommst du für deine Arbeit auch die bestmöglichen Noten.

Damit kann die Großwildjagd auf das Abitur beginnen!

Christian Gröll und David Sehrbrock

stützen deines erfolgs

Die vier Pfeiler des Selbstmanagements

Alle diejenigen unter euch, die entweder unser erstes Buch noch nicht kennen oder aber nicht mehr alles so genau im Kopf haben, finden hier die Checklisten mit den Basics für erfolgreiches Schulmanagement.

Hier kommen die Basics.

Ordnung im Allgemeinen
- Privates und Schulisches trennen
- Feste Plätze für die Schulsachen (Hefte, Ersatzmaterial, Bücher, Sportsachen etc.)
- Aufgeräumter, großer, heller Schreibtisch mit viel Platz für Ablage, Computer etc.
- Wenn möglich einen Computer nutzen
- Arbeitsplatz zum Wohlfühlen einrichten (bequemer Stuhl, Ruhe, angenehmes Raumklima ermöglichen)
→ Arbeitsplatz, der leistungsorientiertes Arbeiten in »Wohlfühlatmosphäre« ermöglicht

Arbeitsmaterialien
- Nur einwandfreie Arbeitsmaterialien verwenden
- Auf solide Qualität und aktuellen Stand (z.B. bei Nachschlagewerken) achten
→ »Handwerkszeug«, auf das du dich verlassen kannst, das deine Arbeit optimal unterstützt

Zeitplanung
- Mangelhafte Zeitplanung ist meist eines der Hauptprobleme bei schulischem Misserfolg, vermutlich machst auch du hier entscheidende Fehler!
- Je mehr Arbeit ansteht und je wichtiger sie ist, desto entscheidender wird deine Zeitplanung! (Bedenke:

Zeitdruck und Stress sind echte Leistungskiller – die gilt es also zu vermeiden!)

- Anstehende Arbeiten möglichst nicht aufschieben
- Kalender führen
- Dort sofort alles eintragen (Datum, Uhrzeit, Dauer, Priorität), nur dann macht ein Kalender Sinn!
- Verdeckte Freiräume (Wartezeiten, Busfahrten ...) aufspüren und nutzen
- Prioritäten setzen
- Regelmäßig in den Kalender schauen
- Je einen bis zwei Tage konkret im Voraus planen
- Ausreichend Freiräume nur für dich einplanen (und auch wirklich nur fürs private Vergnügen nutzen!)
- Die erstellte Zeitplanung unbedingt einzuhalten versuchen
→ Eine zeitliche Planung, die es dir ermöglicht, wertvolle Zeit optimal zu nutzen

Heftführung

- »Ordentliche«, d.h. leserliche Schrift
- Layout-Struktur erkennbar werden lassen (Datum, Überschriften, Absätze, Unterscheidung, Hausaufgabe/Unterricht, Wichtiges kennzeichnen)
- Am Ende des Halbjahres mit den Mitschriften einen Überblick über die Themen im Halbjahr anfertigen, ggf. genügen die stichwortartigen Klausurvorbereitungen
→ Ablagesystem, das es dir ermöglicht, dich schnell im Unterrichtsstoff zurechtzufinden, so dass du zielgerichtet, dicht am Unterricht und flexibel lernen und arbeiten kannst (siehe auch Seite 90: Thema »Memos«)

Tipp

Hilfreich ist oft ein großer Wandkalender, in den du alle wichtigen Termine die Schule und das Abi betreffend eintragen kannst: Referatstermine, Klausuren, Abgabetermin für die Hausarbeit, Rückgabefristen von Büchern etc. Markiere darin auch die Startpoints, an denen du mit dem Lernen für Prüfungen oder die Vorbereitung auf ein Referat beginnen musst.

Zeitplanung, Heftführung & Co nützen nur dann etwas, wenn du die effektiver genutzte Zeit beim Lernen auch im Unterricht in gute Mitarbeit und damit auch in Punkte fürs Abitur umsetzen kannst.

Deshalb folgt ein kurzer »Checklistenüberflug« über die beiden zentralen Punkte Unterrichtsstunde und Hausaufgaben, bevor wir zu den eigentlichen Spezialitäten der Oberstufe kommen.

Und was ist mit den Klausuren?

Tipps, wie du dich am besten auf deine Klausuren vorbereitest, findest du im Kapitel »Schriftliches Abitur« (Seite 85–111).

for whom the bell tolls

for whom the bell tolls

Die Unterrichtsstunde

checkliste

Die besten Ausgangsbedingungen
- Sitzposition: Extrovertierte nach hinten, Introvertierte nach vorne
- »Kompetenten« Freund oder Freundin als Banknachbarn wählen
- Keine Chaoten in unmittelbarer Nähe (sonst gehört man schnell zu denen in der lauten Ecke!)
- Notizen und »persönliche Hausaufgaben« gegen Ende der Pause kurz durchsehen:
  - was kam letzte Stunde dran?
  - was könnte diese Stunde drankommen?
  - will ich etwas dazu beitragen? Wenn ja, was?

Mündliche Mitarbeit
- Dem Lehrer Aufmerksamkeit vermitteln
- Wenn möglich Blickkontakt halten
- Notizen machen
- Nicht oder nur leise schwätzen
- Nicht offensichtlich negativ auffallen! Nur unauffällige Beschäftigung mit unterrichtsfremden Dingen (so geschickt, dass du nicht erwischt wirst)
- Wenn du erwischt wurdest: »Entschuldigung« und Klappe halten!

Die Wortmeldung
- Wichtig! Schlüssel zur mündlichen Beteiligung!
- Ggf. 3–4 Stichworte notieren
- Allgemein verständlich und präzise formulieren

- Nicht zwischen verschiedenen Themen hin und her springen
- Schüchternheit durch Handeln überwinden – mit dem Vorlesen von Hausaufgaben oder kurzen Texten anfangen

Fragen stellen
- Einfache, aber sehr effektive Art der mündlichen Beteiligung
- Kurz und präzise formulieren
- Für andere Mitschüler fragen, die sich nicht trauen
- Wenn nötig, Antwort notieren

Taktische Fragen (um Vorwissen einzubringen)
- Vorwissen geschickt einbringen (muss ja nicht jeder merken, dass du schon Bescheid weißt)
- Nachvollziehbar und logisch argumentieren

Notizen
- Lehrerspezifische Formulierungen
- Versteckte und offensichtliche Klausurenhinweise
- Das, was erst in der nächsten Stunde drankommen soll

Unterrichtskritik
- Hat sie beim betreffenden Lehrer Aussicht auf Erfolg?
- Klassensprecher aktiv werden lassen
- Gespräch unter vier Augen
- Kritik als Verbesserungsvorschlag, also positiv formulieren

die basis macht's

Die persönlichen Hausaufgaben

Mehr oder weniger beliebte Folgeerscheinung der Unterrichtsstunde sind die Hausaufgaben. In der Oberstufe spielen sie zwar oft von Lehrerseite aus nicht mehr eine ganz so zentrale Rolle, die Vor- und Nachbereitung des Unterrichts ist aber für dich unerlässlicher denn je!

Persönliche Hausaufgaben fallen im Voraus an. Über Sinn und Unsinn der gestellten Aufgaben haben wir uns schon ausführlich im ersten Band ausgelassen, deshalb sei nochmals darauf verwiesen. Wichtig sind aber auf jeden Fall deine »persönlichen Hausaufgaben«! In ihnen liegt einer der echten Erfolgsfaktoren der Oberstufe: indem du nämlich selbständig bestimmte Themen des Unterrichts erarbeitest und zwar nicht nach, sondern vor dem Unterricht, in dem sie drankommen!

Dies bringt dich in die ebenso komfortable wie erfolgreiche Position, im Unterricht besser mitarbeiten zu können, gezieltere Fragen stellen zu können und letztlich mehr vom Unterricht zu haben, da er ja schon die erste Wiederholung des Stoffes für dich ist! Dein Erfolg ist vorprogrammiert, und mehr Zeit kostet es dich auch nicht, denn die Nase musst du so oder so ins Buch stecken – also kannst du das auch vorher machen.

Zu diesen persönlichen Hausaufgaben gehört nicht nur ein Blick in das entsprechende Buch. Auch die regelmäßige Lektüre einer Zeitung kann in GK oder Geschichte, aber auch in Deutsch oder Englisch weiterhelfen, genauso wie ein wiederholender Blick in die Notizen der letzten Stunde im Heft einen leichteren Start in den Unterricht ermöglicht.

checkliste
Die Hausaufgaben

① Möglichst alle Hausaufgaben wie verlangt erledigen!
② Wenn dies nicht möglich ist, auswählen und Prioritäten setzen

Prioritätskriterien
- Wie nötig habe ich eine Verbesserung in diesem Fach (Schwerpunktfach, Notenverbesserung ...)?
- Wie nötig habe ich die Übung?
- Wie wahrscheinlich werden die Hausaufgaben gerade von mir verlangt?
- Wie umfangreich sind die Hausaufgaben (Text lesen, einige Aufgaben rechnen, Aufsatz schreiben ...)?
- Wie schwierig sind die Hausaufgaben, wie bin ich in dem Fach drauf, werde ich wahrscheinlich Probleme bekommen?
- Wie werden sie kontrolliert (nur als Information für die Stunde, Vorlesen, Abgabe beim Lehrer, Vervielfältigung ...)?
- Wie viel Zeit steht mir zur Verfügung (die ganzen Ferien, ein paar Tage, muss morgen fertig sein)?

Was, wenn ich wichtige Hausaufgaben vergessen habe?
- Plausiblen Grund präsentieren
- Nachmachen und dem Lehrer ins Fach legen lassen

Verständnisprobleme
- Am besten gleich beim Lehrer rückfragen
- Eltern, Geschwister, Freunde fragen
- Andere Bücher oder Internet heranziehen

● Wenn gar nichts mehr geht, die Probleme im Detail notieren und in der nächsten Stunde klären

Die persönlichen Hausaufgaben
● Sie sind das eigentliche Geheimnis des schulischen Erfolgs
● Sie fallen immer an und bestehen aus:
1) Stundennachbereitung (Mitschriften, persönliche Kritik ...)
2) Regelmäßigem Zeitunglesen, zumindest Titel- und Kommentarseite
3) Stundenvorbereitung (Vorlernen, Sichten der Literatur, die über den Unterrichtsstoff hinausgeht, Anlegen eines Stichwortzettels für die nächste Stunde ...)
→ Sparen unterm Strich Arbeit und Stress

willkommen im club

Was ist neu in der Oberstufe?

Endlich ist es so weit! Du gehörst zu »den Großen« an der Schule. Zu denen, die morgens mit dem Auto kommen, Zigaretten auf dem Schulhof rauchen und sich die Entschuldigungen selbst schreiben dürfen: Willkommen in der Oberstufe!

Wir reden in diesem Buch von der »Oberstufe« und gehen von einem Punktesystem aus. Kann sein, dass an deinem Gymnasium stattdessen Noten gefragt sind und du in die »Kollegstufe« gehst, dass bei dir bereits die Punkte der 11. Klasse in die Abinote einfließen, du schon in der 12. Abi machst oder du so gut wie keine Wahlfreiheiten bei den Kursen hast. In den einzelnen Bundesländern bestehen da teilweise sehr unterschiedliche Regelungen. Und in Österreich und der Schweiz ist alles noch einmal anders. Das ändert aber nichts an der Tatsache, dass du das Wissen, das du einführst, nur mit der optimalen Präsentation in eine starke Abinote umwandeln kannst. Und wie das geht, erfährst du bei uns.

Verschiedene Schulen haben verschiedene Regelungen.

> **Tipp**
> Spar dir die Kapitel im Buch, die dich noch nicht unmittelbar betreffen (z.B. weil es bis zum mündlichen Abi noch 14 Monate hin sind), nicht auf, bis du kurz davor stehst. Vieles an effektiver Vorbereitung findet in der Zeit davor statt und du willst unsere Tipps und Tricks doch schließlich nicht erst lesen, wenn es zu spät ist ...

Der Endspurt hat begonnen. Der Endspurt hat begonnen; von nun an geht es um die alles entscheidende Abinote. Und obwohl oder gerade weil die Abiprüfungen noch in »unendlicher Ferne liegen«, startet der eine völlig übermotiviert und will in allen Fächern gleichzeitig die wichtigen Punkte fürs Abitur sammeln, während die andere die Freiheiten der Oberstufe in vollen Zügen genießt und grundsätzlich erst zur dritten Stunde erscheint.

Aber Vorsicht: Auch wenn nichts in der Oberstufe völlig neu ist, so ist doch vieles anders als in der Mittelstufe; der letzte Abschnitt deines schulischen Daseins bringt einige Neuerungen mit sich, die Chancen, aber auch Risiken für dich bergen! Früher oder später kommt jeder dahinter:

Die Gammelfraktion der Freiheitsgenießer muss die bittere Erkenntnis gewinnen, dass 18 Stunden Raves und Kaffeetrinken in jeder Freistunde sich nur sehr bedingt positiv auf die Noten auswirken.

Ebenso wird irgendwann der letzte »Hansdampf in allen Fächern« schnallen, dass der Tag auch für ihn nur 24 Stunden hat und er nicht in allen Fächern 14 Punkte einfahren kann. Frust und Stress machen sich so breit und die Oberstufenzeit wird zur Last.

Besser also, du findest eher zu früh als zu spät den für dich erfolgreichsten und leichtesten Weg durch die neue Welt der Oberstufe zum Abitur!

endspurt zum abitur – (k)eine neue welt?

Du wirst dich jetzt fragen: »Was denn nun, neue Welt, ja oder nein? Und was ist mit Chancen und Risiken gemeint?«

Alles halb so schlimm und längst nicht so wild, wie es sich anhört: Mit der Oberstufe wird ja nicht das Rad bzw. die

Schule neu erfunden. Immer noch sitzt du einem mehr oder weniger fähigen Pädagogen gegenüber, den du mit einer guten Strategie dazu bringen kannst, passable oder sogar spitzenmäßige Punkte/Noten an dich auszuteilen. Vieles ist in der Phase bis zum Abitur anders, aber nichts ist vollkommen neu!

Zunächst werden ab jetzt viele deiner Leistungen für die Abinote gewertet. In der Mittelstufe wurdest du für gute Leistungen mit einer positiven Halbjahresnote belohnt und für schlechte Leistungen wurde dir eine entsprechend miese Zensur um die Ohren geschlagen. Damit war die Sache dann auch erledigt und außer ein paar Scheinchen von Großmutter oder einem Satz heiße Ohren von Vatter blieb das Zeugnis für den Rest deiner Schülerlaufbahn bedeutungslos (sofern du nicht das Vergnügen hattest, das Halbjahr zu wiederholen). Das ist in der Oberstufe anders. Hier ist über den Zeitraum von zwei oder drei Jahren eine bestimmte Anzahl von Noten in die große Abirechnung einzubringen. Jede Klausur, jede Wortmeldung, jedes Referat ist ein kleines Puzzleteilchen, das sich am Ende zum großen Abizeugnis zusammenfügt.

Deine Abinote setzt sich aus vielen Puzzleteilchen zusammen.

Die Arbeiten oder Schulaufgaben heißen jetzt Klausuren und sind bis zu drei Stunden lang, die Lehrer sagen »Sie« zu dir und es gibt keinen festen Klassenraum mehr, sondern du ziehst meist wie ein Zigeuner von Fach zu Fach in andere Räume und triffst andere Mitschüler: *Viel Spaß mit dem Kurssystem!*

Weiterhin wirst du mit einer Menge neuer Arbeitstechniken konfrontiert. Da gilt es, Protokolle zu führen, Haus- oder Facharbeiten zu schreiben, Referate zu halten und was nicht alles sonst. Manch einer steht nun wie der Ochse vorm Scheunentor und sehnt sich nach der Nestwärme der Mittelstufe zurück, wo man noch jede Hausaufgabe vom Lehrer vor den Hintern getragen bekam. Fairerweise

Alles über die neuen Arbeitstechniken erfährst du bei uns.

muss man sagen, dass sich viele Lehrer auch gar nicht die Mühe machen zu erklären, wie man ein gutes Referat anfertigt und vorträgt oder ein Stundenprotokoll verfasst. Sie vertrauen meist auf ihre oft ebenso faulen Kollegen und die Schüler fallen ins kalte Wasser. Andererseits kannst du dann hier natürlich mit der richtigen Strategie ordentlich abräumen und leicht wertvolle Punkte sammeln!

Zunehmen werden nicht nur die gesteigerten Anforderungen, sondern ebenso der Leistungsdruck und das sowohl innerhalb deiner Jahrgangsstufe als auch von außen – schließlich wollen dich deine Eltern nicht mit einem miesen Abi nach Hause kommen sehen.
Am Ende des Tunnels (und das kommt schneller, als du es zunächst noch für möglich halten magst!) stehen die Abiprüfungen – einige elendig lange Klausuren und dann noch die mündliche Prüfung, bei der man überhaupt nicht weiß, was einen da erwartet.
Aber auch hier gilt: Gefahr erkannt, Gefahr gebannt!

süßes gift – freiheiten der oberstufe als chance für top-noten

Bis hierher klingt die ganze Sache mit der Oberstufe ja noch nicht so erfreulich, wirst du zu Recht einwenden, aber keine Bange: Zunächst einmal sind wir ja an deiner Seite und werden dir helfen, so manche Klippe zu umschiffen. Und andererseits bringt die kommende Zeit auch eine Reihe netter Freiräume mit sich, die richtig genutzt Zeit und Nerven sparen.

Manche Fächer kannst du abwählen. Das fängt bei der Möglichkeit an, bestimmte Kurse als Leistungskurse zu wählen beziehungsweise missliebige Fächer über Bord zu werfen. Einige Fächer, die du die ganze Mittelstufe über gehasst hast, kannst du einfach abservieren. Genauso manche Lehrer, die du noch nie leiden konntest – zack, weg sind sie.

Auch ein Wechsel in der Lehrtechnik vollzieht sich, weg vom Frage-Antwort-Hausaufgaben-vorlesen-Spielchen der Mittelstufe hin zu mehr eigenverantwortlichem Arbeiten.

Und dann ist da natürlich noch die einmalige Möglichkeit, ab 18 seine Entschuldigungen selbst schreiben zu dürfen – Mensch, wenn das nicht verlockend klingt.

Außerdem hängt dein Erfolg jetzt mehr vom Lehrertyp ab als in der Mittelstufe, da du ja auch Leistungen erbringst, die mehr deinen persönlichen Stempel tragen als früher. Ein Lehrer, mit dem du auf Kriegsfuß stehst oder den du taktisch unklug behandelst, kann dir so deine Berufschancen kräftig vermiesen. Ein Lehrer wiederum, der dir liegt, kann dich zu schulischen Höhenflügen fördern, weil du in der Oberstufe eher die Freiheit hast, deine Talente zu entfalten.

Jetzt hast du die Chance, vom freieren Unterrichtsstil zu profitieren.

Schließlich bieten sich ungeahnte Möglichkeiten, durch geschickte Ausschöpfung der Kurs- und Lehrerwahlmöglichkeiten seine Champion-Fächer zu behalten und vom freien Unterrichtsstil zu profitieren.

Trotzdem sind diese Freiheiten ein Stück weit trügerisch: Zwar wird von Seiten der Lehrer mitunter weniger Druck hinsichtlich der Hausaufgaben gemacht (häufig auch nur, um sich selbst Arbeit zu ersparen), was aber nicht bedeutet, dass du weniger zu lernen hättest! Eigeninitiative ist gefragt! Für alle, die nun zusammenzucken: Dies bedeutet nicht zwangsläufig mehr Arbeit, sondern erfordert in erster Linie eine intelligente und effektive Organisation. Gut geplantes Arbeiten, effizientes Einbringen des Gelernten und optimale Präsentation deiner Fähigkeiten treten noch mehr in den Vordergrund als in der Mittelstufe – was manchmal sogar ein Mehr an Freizeit für dich bedeuten kann!

Eigeninitiative zahlt sich in der Oberstufe besonders aus.

Und so liegen Erfolg und Misserfolg dichter zusammen als in der Mittelstufe. Die neuen Freiräume sind deshalb Chance und Herausforderung zugleich, dessen sind sich aber nur die wenigsten Schüler bewusst.

Die Gefahr, die in den süßen Freiheiten lauert, ist die, dass man sich sehr schnell daran gewöhnt, sich diese Freiheiten auch immer häufiger zu nehmen. Das Fehlstundenkonto wächst, Arbeit wird vor sich her geschoben (man muss **Die neue** ja schließlich nicht das erste Referat im Halbjahr nehmen, **Freiheit kann** sondern kann sich Zeit lassen) und am Ende sitzt man vor **auch gefähr-** einem Wust unerledigter Arbeit, ist von der Oberstufe **lich sein.** frustriert, pfeift auf die neue Freiheit und bekommt Herzrhythmusstörungen bei dem Gedanken, dass dies alles schon in die Abinote einfließt.
Du siehst also – jede Neuerung der Oberstufe bietet einerseits die Möglichkeit, damit zu punkten oder sich Arbeit zu sparen und mehr Freizeit zu schinden, andererseits aber die Gefahr, daran zu scheitern.

Wir behaupten deshalb: Wer seine Chancen erkennt und nutzt, für den ist die Oberstufe leichter zu bewältigen als die Mittelstufe und vor allem mit mehr Erfolg!

prüfe alles, wähle das beste – die kurswahl

Nur die nettesten Lehrer, nur die interessantesten Fächer und selbstverständlich keinen Unterricht vor 10 Uhr, kurz: ein Stundenplan bereinigt von allem Lästigen der Mittelstufe – schließlich kommt ja mit der Oberstufe auch das Kurssystem und damit die große Freiheit, richtig?

Nun, ganz so prächtig, wie man auf den ersten Blick meinen möchte, ist die ganze Sache leider nicht. Zwar wird es die eine oder andere Chance für dich geben, ungeliebte Fächer loszuwerden, doch die Möglichkeiten dafür sind in der 11. Klasse noch relativ gering und von Bundesland zu Bundesland sehr unterschiedlich.

Nach dem ersten genaueren Blick auf das Kurssystem der Oberstufe macht sich bald Ernüchterung breit. Viel Bürokratie: Wenn Biologie als Leistungskurs, dann Geschichte aber nicht als zweites Prüfungsfach; wenn Physik als mündliches Prüfungsfach, dann muss Englisch über zwei Halbjahre eingebracht werden (da ist aber der Lehrer ein Depp), aber das geht auch gar nicht, weil es keinen Reli-LK im nächsten Jahr gibt (nur auf der acht Kilometer entfernten Nachbarschule), dafür aber einen in Spanisch (findet aber nur nachmittags statt)! Na prima, wie soll man sich da zurechtfinden? Und nach welchen Kriterien soll man seine Kurse überhaupt wählen?

Komplizierte Regelungen erschweren die Kursauswahl.

wer die wahl hat ... – mit plan zum erfolg

Wohl dem, der schon früh so ungefähr weiß, was ihn erwartet und was er will. Am besten, du kannst/konntest dir schon während der 10. Klasse ein paar Gedanken zu deinen zukünftigen Leistungskursen machen, denn die sind es ja, an denen sich der Rest der Kurse orientiert. Auch wenn in der 11. Klasse die Kursbelegung noch nicht endgültig fürs Abi feststeht, kannst du es bei rechtzeitiger Planung vermeiden, noch einmal Etliches ummodeln zu müssen. Wer sich zu spät kümmert, kriegt eben nur das, was übrig bleibt, und muss sich im Mathe-LK mit der biestigen Frau Dr. Döhnecke durch die Oberstufe schleppen, während sich »zeitigere« Schüler den zwar senilen, aber lustigen Herrn Alzheimer sichern, der wild mit Punkten um sich wirft und grundsätzlich die nullte Stunde ausfallen lässt.

Womit wir an einem sensiblen, aber für dich durchaus wichtigen Punkt angelangt wären: den Lehrern, die man ja

Fang möglichst früh mit der Auswahl deiner Fächer an!

auch in begrenztem Umfang zusammen mit seinen Kursen wählen kann. Dies sollte, wenn man bedenkt, dass ja so manche Schüler-Lehrer-Beziehung in der Oberstufe zwei oder drei Jahre in relativ kleinen Kursen Bestand haben muss, möglichst sorgfältig und überlegt geschehen.

Gut für dich, wenn du nicht nur die einzelnen Lehrer deiner Schule kennst, sondern auch noch pfiffig genug warst in Erfahrung zu bringen, wer welchen Kurs in deinem Jahrgang anbieten wird. Optimal also, wenn du die jeweiligen Kandidaten schon einmal im Unterricht oder einer Vertretungsstunde hattest, schließlich ist der eigene Eindruck unersetzlich. Ansonsten hilft nur, sich umzuhören und möglichst viele Meinungen unterschiedlicher Mitschüler (am besten verschiedener Jahrgänge) einzuholen, und sich so eine Meinung zu bilden. Denn wer will schon den katheterisierten, senilen Motzkopf Herrn Gustav Gnöttgen auf der Kursfahrt als Tutor mit dabeihaben, wenn es jüngere und nettere Alternativen gibt?

An manchen Schulen kann man vor der Oberstufenzeit schon mal einige Leistungskurse besuchen (manchmal auch »hospitieren« genannt) und sich so einen Eindruck von dem verschaffen, was einen erwartet! Tu dies am besten bei allen Kursen, die für dich in Frage kommen. Auch wenn die Lehrer sich da natürlich besonders nett geben und in ihrem Unterricht nur tolle Sachen gemacht werden – ein guter Einblick ist es allemal!

Manche Kurse sind schnell voll. Meist zeichnen sich Kurse ab, die von vornherein überfüllt sein werden. Sprich hier möglichst früh mit dem jeweiligen Lehrer, damit er dir einen Platz in seinem Kurs »reserviert« – viele Lehrer machen das nämlich. Sonst gehörst du schneller, als du denkst, zu den 10 herausgelosten Verlierern, die in den Parallelkurs des kurz vor der Zwangspensionierung stehenden Herrn Dr. Klumpfuß gepackt werden und dort drei lange Jahre zusehen dürfen, wie sie zurechtkommen.

Was das zukünftige Kursangebot und die Lehrer in deinem Abijahrgang angeht, so sind die jeweiligen Fachlehrer die beste und zuverlässigste Quelle. Das liegt daran, dass innerhalb der jeweiligen Fachbereiche relativ früh geklärt wird, wer im nächsten Schuljahr Leistungskurse und Grundkurse übernehmen wird und wer mit Mittelstufenklassen oder anderen Oberstufenkursen ausgelastet ist. So wird dir dein momentaner Deutschlehrer schon ziemlich genau sagen können, wer im neuen Halbjahr Leistungs- und Grundkurse führen wird oder wer zumindest dafür in Frage kommt – es liegt also nur an dir, diese wertvolle Info auch einzuholen.

Welche Lehrer leiten welche Kurse?

Anderes Thema: Denk auch daran, im Verlauf der 11. Klasse Fächer auszugucken, die dann zur 12. abgegeben werden können. Klar, dass viele unter uns sich für alles interessieren, was in der Schule angeboten wird, und am liebsten von Kunstgeschichte bis Philosophie sämtliche Kurse belegen und von Altgriechisch über Serbokroatisch bis Suaheli jedwede Fremdsprache abgreifen wollen, die das örtliche Bildungsinstitut im Kursportfolio hat. Andere wiederum würden mit größtem Vergnügen alles an Kursen über Bord werfen, was nicht bei drei auf den Bäumen ist, um auf eine Wochenstundenzahl zu kommen, die jede Teilzeitkassiererin im Supermarkt vor Neid erblassen ließe. Und wie so oft in der Oberstufe hat auch hier alles sein Für und Wider. Wer breite Interessen hat, also viele Kurse belegt, wird sicherlich eine Menge interessanter Dinge lernen und kann für seine Abirechnung aus einem breiteren Angebot an Kursen wählen. Häufig hat auch das Wissen, das du dir in einem Bereich aneignest, Auswirkung auf andere Fächer. Will heißen, dass dir Dinge aus Elektronik oder Chemie in Physik oder Biologie, Wissenswertes aus Geschichte in GK weiterhelfen können. Auch bestehen zwischen den einzelnen Fremdsprachen viele Parallelen,

Welche Fächer willst du abgeben?

sodass man sich eine Menge unbekannter Vokabeln herleiten kann. Andererseits setzt du dich der Gefahr aus, dich zu verzetteln. Unter der Fülle der Fächer kann deine Freizeit und vor allem die allgemeine schulische Leistung erheblich leiden. Und in der Abirechnung bringt es dir nichts, wenn du zwar viermal so viele Fächer als erforderlich einbringen könntest, in diesen aber aufgrund der Arbeitsüberlastung nur mäßige Noten abgeräumt hast.

Die richtige Mischung macht's!

Wer nun aber sämtliche Kurse abschießt, um sich morgens bis um 12 Uhr im Bett räkeln zu können, der steht gegen Ende der 13. womöglich mit so wenigen Fächern da, dass der Lateinkurs mit vier Punkten und Kunst mit fünf eingebracht werden müssen und den Notenschnitt kräftig nach unten reißen.

Es gilt daher: Lieber weniges sehr gut als vieles mittelmäßig – bündele deine Kräfte! Je weniger Fächer du hast, desto besser kannst du dich auf sie konzentrieren. Es hat keinen Sinn aus Sympathie zu Mitschülern oder Lehrern einen lernintensiven Lateinkurs mit sich zu schleppen, wenn deine LKs dich zeitlich schon auslasten. Bei Überlastung kommt es schnell zu Punktverlusten und Frust.

Egal zu welchen Entschlüssen du hinsichtlich deiner Kurswahl auch nach langem Hinundherüberlegen letztlich gekommen bist:
Wir möchten dir auf jeden Fall ans Herz legen, zum Abschluss deiner Planung noch einmal mit deinem Klassenlehrer oder Oberstufenlei-

ter darüber zu sprechen. Zu groß ist nämlich die Gefahr, im Verordnungsdschungel der jeweiligen Bundesländer den Durchblick zu verlieren und kurz vor dem Abi als der Dumme mit zu wenigen oder zu schlechten Kursen dazustehen!

Folgende Infos solltest du also schon am besten in der 10. bzw. 11. Klasse einholen, um eine möglichst optimale Wahl zu treffen, die dir dann über zwei oder drei Jahre hinweg mit Erfolg zum Abi verhelfen wird:

checkliste
Die Kurswahl

Möglichst schon während der 10. Klasse mit der Kursauswahl beginnen

Welche Fächer kommen für dich als Leistungskurse in Betracht?
- Welche Fächer machen dir am meisten Spaß?
- In welchen Fächern hast du die besten Noten?
- Welche Fächer passen gut zum zukünftigen Studium oder zur Berufsausbildung? (Wenn du dir darüber noch keine Gedanken gemacht hast, dann mal los!)
- Welche Fächer möchtest du auf alle Fälle abgeben?
- Wo hast du besonders wenig Spaß?
- Wo stimmen die Noten gar nicht?

- Welche Fächer kosten dich viel Zeit, bringen dir aber wenig?
- Wie sieht das Kurssystem in deinem Bundesland aus? Welche zusätzlichen Regelungen gibt es an deiner Schule? (Dazu gibt es Broschüren, ansonsten ist der Oberstufenleiter zuständig.)
- Welche Nebenfächer und Prüfungsfächer ergeben sich im Abi aus deinen Wünschen?
- Welche Lehrer werden diese Kurse leiten?
- Mit welchen Freunden kannst du diese Kurse zusammen belegen?
- Wie viele Wochenstunden hat dann dein Stundenplan? (Denke auch an AG'en, zusätzliche Fremdsprachen und Nebenjobs!)
- Kurse, die für dich als LK in Frage kommen, möglichst als Gast vorher besuchen.
- Beratung durch den Oberstufenleiter nutzen!

Erstelle hinsichtlich deiner favorisierten LKs Hitlisten vom Lieblingsfach bis zum weniger beliebten, genauso für die Fächer, die auf jeden Fall aus dem Stundenplan verschwinden müssen. So behältst du den Überblick, wenn du dich mit dem Leiter über deine Kursplanung unterhältst.

Tipp

Wenn du noch nicht so recht weißt, was du nach dem Abi machen willst, besorg dir das Buch »Schule geschafft – und dann?« von Ekkehart Baumgartner (Kösel-Verlag). Da findest du eine Menge Ideen und Info zu Themen wie Studium, Ausbildung, Jobben, Auslandsaufenthalte usw.

Nach zähem Ringen und Hinundherüberlegen mit etlichen Berechnungen der einzubringenden Kurszahlen sitzt du dann hoffentlich in den Kursen, in die du wolltest.

Leider aber noch kein Grund, sich zufrieden zurückzulehnen und den Schulalltag der Oberstufe zu genießen, denn auch hier können je nach Fach und Lehrer einige neue Herausforderungen auf dich zukommen, die es zu meistern gilt: Hausarbeiten, Protokolle und Referate haben mitunter einen festen Platz im Unterricht und bieten dir gute Chancen, zusätzliche Punkte fürs Abi zu sammeln. Wenn es dumm läuft, kannst du aber leider auch wertvolle Punkte verschenken! Damit das dir auf keinen Fall passiert – die folgenden Kapitel.

was vom tage übrig blieb

was vom tage übrig blieb

Das Protokoll

Es ist Freitagmorgen, dem Gemeinschaftskundekurs 12 stehen zwei Unterrichtsstunden bevor, der Lehrer betritt pünktlich mit dem Läuten den Klassenraum.

»Guten Morgen, alle zusammen!«

»Guten Morgen, Herr Seltenfröhlich!«

»So, meine Lieben, wie immer: zunächst das Protokoll vom Mittwoch. Wer hatte Protokoll zu führen?«

Sonja meldet sich mit sichtlichem Unbehagen.

»Ich!«

Herr Seltenfröhlich energisch: »Ah, Sonja, na dann leg mal los!«

»Äh, tja, also wir haben zu Beginn der Stunde über die Entwicklung von, äh, wie hieß der noch gleich, ich meine diesen Typen mit seiner Theorie ...?«

»Marx, Karl Marx.«

»Äh, genau den, den meine ich. Also, über den haben wir gesprochen und außerdem über die Bauern in Russland und ihre Probleme und ...«

Herr Seltenfröhlich unterbricht Sonja in ihren Ausführungen ruppig.

»Es kann ja wohl kaum dein Ernst sein, mir dieses Gestammel als Protokoll verkaufen zu wollen, oder?«

Was nun folgen wird, kann sich jeder ohne allzu viel Fantasie vorstellen. Herr Seltenfröhlich wird zunächst von Sonja
verlangen, anhand ihrer Stundennotizen die Mittwoch-
stunde mit den wichtigsten Inhalten zusammenzufassen,
was dieser einige Schwierigkeiten bereitet, da einerseits
die Notizen ein wahres Chaos und weder geordnet noch
leserlich sind und sie außerdem kaum in der Lage ist, den
Konjunktiv fehlerfrei in der freien Rede zu benutzen.
Herr Seltenfröhlich wird sich deshalb zunächst in Rage reden, Sonja gehörig zur Sau machen, ihr predigen, wie im-
mens wichtig das Protokoll für ihn selbst und alle Mitschüler ist, dass eine Stunde ohne Protokoll keinen Sinn hat
und dass diese laxe Arbeitsauffassung ihre Berücksichti-
gung in der mündlichen Note finden wird.

gar nicht so unwichtig – das protokoll

An sich ist es absolut nicht schwer und, wie so vieles im
Schulalltag, lediglich eine Frage von Technik und Übung.
Weder Talent noch schriftstellerische Begabung sind für
ein Protokoll der »Güteklasse Eins« nötig. Dafür bringt es
dir eine Menge:

- Du lernst die Arbeitstechnik des Protokollierens, die **Was bringt**
  häufig im täglichen Leben (Vereine, Beruf und auch **dir ein**
  Studium!) benötigt wird. **Protokoll?**

- Du musst das Wesentliche erfassen, gliedern und
  sprachlich auszudrücken lernen (hilft dir auch im mündlichen Abi, wenn du z.B. einen Text zusammenfassen
  musst).

- Du und der Rest deines Kurses bekommen zu Beginn
  der Stunde einen Überblick über die letzte Unterrichtseinheit, so dass du auch ohne gezielte Vorbereitung auf
  die Stunde wieder im Thema Tritt fassen kannst.

Klausur-Tipp! Wenn du dir die wichtigsten Protokolle kopierst, hast du die Möglichkeit, dich vor der nächsten Klausur noch einmal über die Themen und Ergebnisse der Unterrichtseinheiten zu informieren, was die Vorbereitung ungemein erleichtern kann.

Im Schulalltag werden dir im Wesentlichen drei Arten von Protokollen begegnen:

❶ Das **Stundenprotokoll**, das den Inhalt einer oder mehrerer Unterrichtsstunden wiedergeben soll

❷ Das **Themenprotokoll**, das einen in sich geschlossenen Themenkomplex darstellen soll (z.B. »der ohmsche Widerstand« oder »die Februarrevolution«)

❸ **Protokolle** anlässlich **eines Vortrages** oder **einer Diskussion**, z.B. einer Museumsführung, eines Streitgesprächs im Fernsehen oder eines Dokumentarfilms

Ziel des Protokolls

Jedes Protokoll soll die wichtigen Inhalte erfassen, stark gliedern, raffen und somit leicht erfassbar aufbereiten. Auch derjenige, der nicht anwesend war, muss mithilfe des Protokolls in der Lage sein, binnen kürzester Zeit nachzuvollziehen, was Sache ist.

step by step – die vier stationen zum perfekten protokoll

- **Sammeln** (Infos und Inhalte)
- **Selektieren** (das Wichtige auswählen)
- **Gliedern** (logisch und nachvollziehbar)
- **Aufbereiten** (sprachlich und äußerlich übersichtlich)

Beginnen wir mit dem Sammeln, was vermutlich schon den meisten unter euch Schwierigkeiten machen dürfte, zumal man häufig gezwungen ist, völlig unbekannten Stoff unter Zeitdruck (z.B. schnelle Argumentationsfolge in einer Diskussion oder in der Vorbereitungszeit zum Abitur) und womöglich im Stehen (z.B. Museumsführung) zu protokollieren. Dazu muss man manchmal nicht nur geradezu übermenschlich schnell schreiben können, sondern sitzt dann zwei Tage später vor dem Gekritzel und versucht, sich an die Dinge aus der Stunde zu erinnern und irgendwie mit dem Geschmiere unter einen Hut zu bringen!

Generell hat sich die Taktik (vor allem bei sehr unbekannten Themen) bewährt, zunächst einmal relativ viel mitzuprotokollieren, um dann später (je kürzer danach, desto besser) in Ruhe und mit einer gewissen Themenkenntnis die Selektion vorzunehmen. Oder lass ein Diktiergerät mitlaufen – dann geht dir gewiss nichts verloren.

nur erste wahl – die selektion

Um den Umfang des Protokolls angemessen zu gestalten, ist es sinnvoll, sich nach Beendigung der Stunde, des Vortrages oder der Diskussion all das nochmals in Stichworten aufzuschreiben, was einem selbst in Erinnerung geblieben ist – mit großer Wahrscheinlichkeit hat man dann schon das Wichtigste auf dem Papier! Die Selektion wäre erledigt. Trotzdem hat man seine Notizen und kann so einzelne wichtige Details noch hinzufügen.

D.h. also, nicht jeder Schneuzer und jeder Toilettengang der Mitschüler wird ins Protokoll übernommen, auch nicht jede einzelne Wortmeldung, wohl aber die, die vom Lehrer aufgegriffen und zur Diskussion gestellt werden. So ist nicht jede Jahreszahl im Geschichtsunterricht von Interesse, wohl aber die, von der weitere Geschehnisse maßgeblich abhängen.

Du siehst an diesen Beispielen, die Palette ist vielfältig und bunt und es gehört eine gewisse Übung dazu, beurteilen zu können, was wichtig ist und was nicht. Wenn du unsicher bist, hat es sich als hilfreich erwiesen, Mitschüler zu fragen, denn manchmal hält man selbst die unwichtigsten Dinge für bemerkenswert, die anderen als völlig unbedeutend erscheinen. Auch wird kein Lehrer böse sein, wenn du dich im Anschluss an eine Unterrichtsstunde nach dem Wichtigkeitsgehalt bestimmter Beiträge erkundigst und mit ihm die wichtigsten Aspekte einer Stunde noch einmal kurz durchsprichst.

Wenn du unsicher bist, frag Mitschüler oder den Lehrer nach ihrer Einschätzung.

Wenn ihr aber nicht auf die Hilfe von anderen angewiesen sein wollt oder niemanden dafür habt, ist es ein Leichtes, die Struktur der Stunde mithilfe des Tafelbildes, mit Stich- und Schlagworten, die vom Lehrer diktiert wurden, oder einfach anhand des entsprechenden Kapitels im Buch nachzuvollziehen. Letzteres funktioniert eigentlich immer ganz gut, wenn man Themenprotokolle zu bestimmten Unterrichtseinheiten abfassen muss, da diese insbesondere in den Naturwissenschaften gut im Buch wieder zu finden sind.

Nicht zu ausführlich werden!

Ganz gut wirst du liegen, wenn du pro Kapitel im Buch zwei bis drei Sätze im Protokoll stehen hast. Eine Unterrichtsstunde darf nicht mehr als eine DIN-A4-Seite Protokoll ergeben! Nichts ist so ätzend für Schüler und Lehrer wie ein Protokoll, dessen Verlesung 20 Minuten in Anspruch nimmt, und nachher weiß deshalb niemand, um was es eigentlich gehen sollte.

Die meisten Protokolle sind ungenügend, weil sie schlicht und einfach zu lang sind, und die meisten sind dann gut, wenn nur wenig, aber eben das Entscheidende protokolliert wurde. Weniger ist hier also mehr!

alles der reihe nach – die gliederung

Wenn nun also feststeht, was im Protokoll stehen soll, ist eigentlich schon die meiste Arbeit getan. Denn in der anschließenden Gliederung geht es nur darum, den Stoff in eine Reihen- oder Rangfolge zu bringen. Da diese meistens analog zum Unterricht läuft, dürfte sie kaum Schwierigkeiten machen.

Etwas komplizierter ist es, wenn es um eine Diskussion geht. Hier hat sich eine Argument-Gegenargument-Auflistung bewährt, die nicht chronologisch sein muss, wohl aber zu einem abschließenden Konsens, also der erzielten Übereinkunft zwischen den Diskussionspartnern bzw. der getroffenen Entscheidung führen sollte.

Protokolle über Themen oder Unterrichtseinheiten machen hingegen bezüglich der Gliederung kaum Probleme, da ein Thema vom Lehrer normalerweise logisch, also nachvollziehbar gegliedert präsentiert wird und der Protokollant sich auch daran halten kann. Dasselbe gilt für Führungen, Filme, Referate etc.: Auch hier kannst du dich getrost an die vorgegebene Reihenfolge halten.

Wichtig bei der Gliederung ist für dich letztlich nur, diese auch deutlich zu machen: Sei es nun durch den Gebrauch von Absätzen, Leerzeilen, Nummerierungen, Spiegelstrichen, Hervorhebungen etc. Was immer eine Reihenfolge erkennen lässt, ist erlaubt. Auch sprachlich kann die Gliederung deutlich werden, z.B. durch die Verwendung von Überleitungen wie »... daraus folgte dann ...«, »... wir kamen zum zweiten Punkt ...«. Das klingt gut, ist aber optisch nicht so übersichtlich wie eine Nummerierung oder eine Aufreihung mit Spiegelstrichen. Insbesondere wenn das Protokoll nur verlesen werden soll, sind stichwortartige Darstellungen für die Zuhörer leichter nachvollziehbar und bergen weniger Fehlermöglichkeiten.

Die Gliederung soll auch optisch zu erkennen sein.

reine formsache – das layout

Du merkst, das Gliedern geht fast nahtlos in den vierten und letzten Punkt des Protokollierens über, das Aufbereiten oder die Layouterstellung.

Das bedeutet, den selektierten und gegliederten Inhalt in eine ansprechende sprachliche und äußere Form zu bringen. Auch hier solltest du dich, bevor du loslegst, kurz mit dem Lehrer besprechen: Ob er bestimmte Vorstellungen und Anforderungen hat, was insbesondere dann wichtig ist, wenn das Protokoll hinterher vervielfältigt werden soll. Soll es zum Beispiel kopiert werden, einen Korrekturrand enthalten o. Ä.

In jedem Fall gibt es ein paar grundlegende Infos, die in deinem Protokoll, am besten übersichtlich oben auf der Seite, auftauchen sollten:

● Datum
● Dauer des zu protokollierenden Zeitraums (meist eine oder zwei Stunden)
● Fach und Lehrer (Deutsch bei Herrn Beutelschneider)
● Evtl. auch Name und Ort der Schule (vorher beim Lehrer erfragen)
● Thema des Protokolls (Referat von Hatice Yildiz, »Das Nibelungenlied«)
● Unterrichtseinheit (Mittelhochdeutsche Literatur)
● Name des Protokollanten (Beate Eder)

Keine persönlichen Kommentare einfließen lassen! Ferner sei erwähnt, dass im Protokoll beim besten Willen kein Platz für persönliche Kommentare ist! Auch wenn dich der Sprachfehler des Referenten oder sein ungepflegtes Auftreten noch so stören mag, sind Formulierungen wie »... der picklige und fetthaarige Referent versuchte sich stotternd verständlich zu machen ...« absolut fehl am Platz und zeugen von einem hohen Maß an Unprofessionalität, gehören also eher an die Toilettenwand als ins Protokoll.

Mach dir eines klar: Es geht nicht darum, wie du die Dinge siehst oder empfindest, ein Mitschüler sieht die gleiche Sache womöglich komplett anders, sondern nur darum ganz nüchtern aufzuschreiben, was abgelaufen ist. (Man stelle sich einen Gerichtsprotokollanten vor!) Wie picklig und fetthaarig der Referent nun auch war, interessant ist nur das, was derjenige auch gesagt hat.

Wo wir nun schon beim Sprachlichen sind, so sei noch die (korrekte!) *Verwendung des Konjunktivs* im Protokoll empfohlen, da er je nach Lehrer sehr wichtig sein kann. Wer also in der Verwendung des Konjunktivs nicht mehr ganz so fit ist, dem sei entsprechende Fachliteratur empfohlen.

Es versteht sich außerdem von selbst, dass ordentliches Papier und, wenn möglich, Computer angesagt sind. Das Protokoll wird schließlich abgegeben und vervielfältigt oder vom Lehrer benotet und einbehalten. Manchmal kommt es auch zur Korrektur zurück. Aber nur keine Angst, Schlimmes kann dir dann nicht mehr bevorstehen, wenn du dich an unsere Tipps gehalten hast.

checkliste
Das Protokoll

Vorbereitung
- Anforderungen des Lehrers in Erfahrung bringen
- Ggf. Vorbereitung auf das Thema des Protokolls
- Ggf. Schreibkladde besorgen

Selektion
- Direkt beim Protokollieren
- Aus der Erinnerung und nach Hinweisen des Lehrers
- Literatur zum Thema
- → Extrakt des wirklich Wichtigen

Gliederung
- Logisch, aufeinander aufbauend
- Chronologisch (bei Vorträgen und Filmen)
- Pro-Kontra (bei Diskussionen)
- Optisch (Spiegelstriche, Nummerierungen, Absätze)
- → Der Inhalt in sinnvoller Ordnung

Aufbereitung
- Datum, Zeitraum, evtl. Ort
- Thema
- Name des Protokollanten
- Keine persönlichen Bemerkungen
- Auf Konjunktiv achten
- Möglichst PC verwenden
- → Das fertige Protokoll

was will der autor damit sagen?

was will der autor damit sagen?

Die schriftliche Hausarbeit

Viele fühlen sich, sobald es um die Anfertigung einer Hausarbeit (auch Fach- oder Semesterarbeit genannt) geht, vor unlösbare Probleme gestellt. Die Tatsache, dass es nun ausschließlich an ihnen selbst liegt, zu einem vorgegebenen Thema Material zu sammeln, Stoff zu ordnen, aufzubereiten, zu gliedern und womöglich auch noch vorzutragen, treibt sie schier zur Verzweiflung.

Folge: Sie scheuen sich vor der Arbeit, schieben sie bis auf die letzte Minute auf und müssen dann in Hektik und Stress etwas vollbringen, was ihnen schon bei ausreichender Zeit genug Probleme machen würde. Die Arbeit, die dann dem Lehrer vorgelegt wird, ist mehr als dürftig und der anschließende Frust sitzt tief.

Bring dich nicht selbst unter Zeitdruck.

Wie gut, dass dir so etwas in Zukunft nicht mehr passieren wird, da du nun im Begriff bist, in diesem Kapitel die Geheimnisse der erfolgreichen Facharbeit zu erfahren. Das sind gar nicht mal so viele. Wie bei anderen Dingen, die das Schülerdasein mit sich bringt, verliert auch eine Hausarbeit ihren Schrecken, wenn denn nur Zeitplanung und Arbeitstechnik stimmen.

Was ist eigentlich eine Facharbeit, welchen Zweck verfolgt sie und welchen Nutzen habe ich als Schüler davon? Durchaus berechtigte Fragen, deren Beantwortung eigentlich dem Lehrer obliegen sollte, der das aber nur allzu gern unzureichend und ungeschickt macht.

In den meisten Bundesländern ist in einem der LKs eine größere Arbeit gefordert, die zu einem relativ frei gewählten Thema verfasst werden soll.

Manche Lehrer vergeben auch am Ende des Halbjahres an »Bedürftige«, also an schwächere Schüler, kleinere Hausarbeiten, um ihnen eine Chance zu geben, sich vor der Benotung noch den einen oder anderen Punkt zu ergattern.

Ziel einer Hausarbeit

Generell kann man festhalten, dass eine Hausarbeit für dich bedeutet, dass du zu einem klar eingegrenzten Thema Literatur sammeln und verwerten, dich in dieses Teilgebiet einarbeiten, es nachvollziehbar aufbereiten, gliedern und präsentieren musst. Wichtig ist dabei meist weniger, dass du zu neuen oder besonders originellen Erkenntnissen kommst, sondern zeigst, dass du in der Lage bist, größere Zusammenhänge eigenständig darzustellen.

Außerdem funktioniert diese Arbeitstechnik bis auf kleine Änderungen in allen Fächern gleich. Egal, ob du nun in Physik oder Religion, in Deutsch oder Geschichte eine Arbeit verfassen musst, sie haben alle eine vergleichbare Arbeitstechnik und lassen sich in dem von uns gezeigten Muster angehen und erfolgreich bewältigen!

So kommst du an gute Noten. Keinesfalls ist die Facharbeit aber eine dumme Nebensache, die es irgendwie zu erledigen gilt, sondern eine Chance für dich, relativ leicht gute Noten zu bekommen und wertvolle Fertigkeiten zu lernen. Wieder einmal offenbart sich hier nämlich für dich eine Möglichkeit, durch geschicktes Arbeiten und den einen oder anderen Trick dem Lehrer zu zeigen, was in dir steckt.

Ähnlich wie die Hausaufgaben bietet dir die Facharbeit die Gelegenheit, dich über einen längeren Zeitraum ohne Stress und Hektik mit einem Thema auseinander zu setzen und zu dessen Bearbeitung alle dir zur Verfügung stehenden Möglichkeiten voll auszuschöpfen, ohne den Lehrer über diese im Einzelnen informieren zu müssen.

Außerdem halten wir eine Reihe von Tricks für dich bereit, die es dir möglich machen, über die eine oder andere inhaltliche Schwäche hinwegzutäuschen. Vorausgesetzt, du willst wirklich eine gute Hausarbeit vorlegen, wird dir sicherlich nichts im Wege stehen, außer du selbst und deine Faulheit – völlig zu Unrecht, denn unsere Strategie erspart dir eine Menge Arbeit!

der frühe vogel fängt den wurm – wie du dir das beste thema an land ziehst

Meistens wirst du dir die Facharbeit nicht an Land ziehen müssen, sondern sie vom Lehrer »verordnet« bekommen. Sollte dies aber nicht der Fall sein, bist du hier auf jeden Fall im Vorteil, wenn du agierst, statt zu reagieren. D.h. je früher du an die Facharbeit herankommst, desto besser kannst du dich und deine Zeitplanung darauf einstellen. Das macht sich bezahlt, denn:

- Die Bücherei ist schließlich nicht unerschöpflich und schnell haben sich deine Kollegen die besten Bücher unter den Nagel gerissen.
- Von dem, was du dir angelesen hast, kannst du im Unterricht profitieren.
- Du kommst nicht in Zeitdruck und Stress – schließlich gilt: In der Ruhe liegt die Kraft.

Einen immensen Vorteil hast du dann, wenn die Arbeit über die Ferien anzufertigen ist, obwohl es zunächst nicht so aussieht! Aber unter Zeitdruck wirst du dann hoffentlich nicht leiden müssen.

Es lohnt sich sowieso grundsätzlich, gezielt nach einer Hausarbeit zu fragen. Häufig ergeben sich im Laufe des

Eine freiwillige Hausarbeit hebt den Notenschnitt.

Halbjahres Zeiträume von zwei bis drei Wochen, in denen keine Klausuren anfallen. Will man diese Zeit »Gewinn bringend« nutzen, hat es sich schon so manches Mal ausgezahlt, sich freiwillig bereit zu erklären, zu einem bestimmten Thema eine Hausarbeit mit Referat zu verfassen, um den Unterricht etwas zu beleben. Jeder Lehrer wird dir dafür dankbar sein. Wenn er dieses Angebot auch nicht immer annimmt, so wird er doch zumindest registrieren, dass du wirklich sehr engagiert bist. Wenn deine Mitschüler dich deshalb für einen Streber halten, ihr Pech. Die meisten werden es dir jedoch nicht übel nehmen, schon gar nicht, wenn du ohnehin nicht der Beste in dem betreffenden Fach bist.

mehr spaß, mehr erfolg – das richtige thema macht's

Vielleicht kommst du gar nicht in die Verlegenheit, dir über das Thema deiner Hausarbeit Gedanken zu machen, da es schlicht und einfach vom Lehrer vorgegeben wird. Dir bleibt in diesem Fall nichts anderes übrig, als zu versuchen, das Beste aus der Situation zu machen.

Anders sieht es aus, wenn du die Möglichkeit hast, auf das Thema deiner Hausarbeit Einfluss zu nehmen. Vielleicht

Möglichst früh ran an die Themenauswahl. bietet dein Lehrer verschiedene Themen an, von denen du dir eines aussuchen kannst. Wenn dann der große Run losgeht und alle wild durcheinander schreiend das vermeintlich leichteste oder »beste« Thema ergattern wollen, ist Eile geboten, damit für dich nicht nur noch der Ausschuss übrig bleibt. Du solltest jetzt das Thema aussuchen, das dich am meisten interessiert und das dir am geeignetsten erscheint. Egal aus welchem Grund, einfach nach Lust und Laune; pick dir die Rosinen aus dem Kuchen!

Wenn vom Lehrer zu Beginn des Jahres angekündigt wird, dass im Laufe des Halbjahres Hausarbeiten zum Kursthema abgefasst werden sollen, bist du optimal beraten, wenn du dich möglichst schnell mit dem Überthema auseinander setzt, dich ggf. mit dem Lehrer absprichst und abcheckst, worüber du gutes Material (Bücher, Zeitungen, Filme, Internetinfo) bekommst, wie gut du mit dem Thema allgemein zurechtkommst, ob es überhaupt das ist, was du dir darunter vorstellst.

Es bringt nämlich nichts, wenn du dir eine Facharbeit über den Regenwald eingehandelt hast, weil er dich schon immer mal interessiert hat, und du dann feststellst, dass dieses Thema kaum zu überblicken ist, dass du in Material förmlich ersäufst und vermutlich eine Facharbeit im Umfang von 250 Seiten schreiben musst, um wenigstens die Grundzüge erklärt zu haben.

Wähle das Thema nicht zu umfassend.

Tipp

Das Thema nicht zu groß und umfassend wählen! Die Beschränkung auf eine spezifische Fragestellung ist schon die erste Leistung, die du erbringen sollst.

Immer werden aber Spaß und Interesse an deinem Thema maßgeblich zum Erfolg beitragen, weil dir die Arbeit leichter fällt, du sie schneller und sorgfältiger erledigst, wenn dir das Thema liegt. Optimal ist es, wenn es sich vielleicht mit deinem Hobby in Verbindung bringen lässt, du z.B. leidenschaftliche Reiterin bist und eine Facharbeit über Pferderassen anfertigen kannst.

Oft ist das Thema interessanter, als man zuerst denkt.

Wenn es dich nun ganz unglücklich erwischt hat und du mit einem Thema bestraft bist, das so ätzend ist, wie es kaum noch ätzender geht, so hilft nur eines: Zähne zusammenbeißen und so früh wie möglich damit anfangen: »Was de weg hast, haste weg!« Und manchmal kommt der Appetit mit dem Essen, will sagen, manche Themen entpuppen sich bei näherer Betrachtung als interessanter, als sie auf den ersten Blick scheinen.

land in sicht – die materialbeschaffung und -sichtung

Nun ist es also so weit. Das Thema seht fest, du hast freie Zeit vor dir, die Arbeit kann beginnen. Im Idealfall kennst du dich schon ein bisschen im Thema aus, hast schon das eine oder andere Buch auf deinen Schreibtisch geschafft, hast eventuell schon einige Stichworte und Ideen zum Inhalt notiert und kannst eine Gliederung deiner Arbeit erstellen.

Was aber, wenn es nicht ganz so optimal aussieht, du gar nicht so recht weißt, wo du anfangen und wo aufhören sollst? Keine Panik! Zunächst sprich dich mit deinem Lehrer ab. Folgende Dinge solltest du mit ihm klären:

Diese Punkte als Erstes klären.

❶ Wie viele Seiten Umfang (mindestens/höchstens) sollen es werden?

❷ Wo sollen inhaltliche Schwerpunkte gesetzt werden?

❸ Wo und wie soll der Bezug zum Unterricht hergestellt werden?

❹ Welche formalen Ansprüche bestehen (Seitenlayout, Inhaltsverzeichnis, Literaturverzeichnis etc.)?

❺ Soll die Arbeit der Klasse in Form eines Referates vorgestellt werden?

Auch wenn dir zunächst manche Aussage deines Lehrers noch spanisch vorkommen mag, notiere sie dir gewissenhaft und scheue dich nicht, ihn mit Fragen zu löchern, schließlich wird er dafür bezahlt. Außerdem kannst du dir so eine Menge unnötige Arbeit ersparen und letztlich die bessere Note kassieren!

Nachdem nun klar sein müsste, wohin die Reise gehen soll, führt dein Weg in die Bibliothek. Egal, ob du nun die schuleigene oder die städtische nimmst, Hauptsache sie hat zu deinem Arbeitsthema reichlich Material zu bieten (im Zweifel erkundige dich bei dem Bibliothekspersonal). Es hat sich als ausgesprochen zweckmäßig erwiesen, nicht sofort mit der Spezialliteratur zu beginnen, gerade dann, wenn du dich in deinem Thema noch nicht auskennst. Um ein Beispiel zu nehmen: Die Literatursichtung zu einer Arbeit über das Wattenmeer beginnt demnach nicht mit der elfbändige Wattwurm-Enzyklopädie (4250 Seiten), sondern zunächst mit etwas allgemeinerer Literatur. Am besten ein Lexikon, das dein Facharbeitsthema auf nicht mehr als einer Seite abhandelt. Zwei oder drei verschiedene Lexika zu deinem Thema verschaffen dir einen guten Überblick und geben dir auch ein Beispiel, wie man es inhaltlich aufbereiten und gliedern kann. Freilich kann dazu auch das Schulbuch herhalten oder jedes Konversationslexikon. Gut bewährt haben sich auch die Lexika aus der Schülerduden-Reihe, die es zu beinahe jedem schulisch bedeutsamen Themengebiet gibt.

Nicht mit der Spezialliteratur anfangen.

(Auch zu empfehlen z.B.: Römpps Chemielexikon, Kindlers Literatur- und Malereilexikon, Reclam Literaturhilfen oder im Internet: www.wissen.de ...)
Das gefundene Material wird entweder ausgedruckt oder kopiert und abgeheftet, wichtige Passagen werden dabei mit Textmarker markiert, oder aber die entsprechenden Seiten werden mit Lesezeichen versehen.

thema internet

Gezielte Internet-Recherche ja, Download und Plagiat nein.

Keine Frage: Das Internet bietet dir hier natürlich von der Literaturrecherche bis zur fertigen Hausarbeit viele Möglichkeiten.

Nur bedenke: Kaum ein Lehrer ist heute nicht im Internet und auch sie kennen selbstverständlich die einschlägigen Adressen im Net, sodass nichts peinlicher und für deine Note vernichtender wäre, als vor versammeltem Kurs überführt zu werden!

Klar kann es sich lohnen, ein paar Referate oder Arbeiten zum eigenen Thema anzusehen, aber eine davon nach dem Download und kurzer Umarbeitung beim Lehrer einzureichen können wir dir nun wirklich nicht empfehlen.

Groß ist auch die Gefahr, sich im WWW zu verzetteln. Du wolltest nur kurz eine Info nachprüfen, kommst dabei vom Hundersten ins Tausendste, schaust noch schnell in deinem Lieblings-Chatroom vorbei und schon sind wertvolle Stunden vertan. Deshalb: Gezielt suchen und ein Zeitlimit setzen.

Tipp

Eine gute Quelle ist z.B. der »Internet-Guide für Schüler« (Moses Verlag), der nützliche Internetseiten übersichtlich nach Fächern gegliedert enthält und für die Suche nach passenden Seiten im Web eine gute Hilfe sein kann.

Unter der Adresse: www.learnetix.de kannst du dir sogar für dein spezielles Hausarbeitsthema Literaturhinweise mailen lassen.

Wenn du jetzt einen Überblick gewonnen hast, kannst du etwas speziellere Literatur zurate ziehen, in unserem Falle also ein Buch, welches das Wattenmeer in seiner Gesamtheit behandelt oder ihm zumindest ein umfangreiches Kapitel widmet.

Es ist natürlich schwer für den Neuling, hier zwischen guten und schlechten Büchern zu unterscheiden, sodass du auf jeden Fall verschiedene Bücher anlesen solltest und im Zweifel deinen Lehrer um Rat bitten musst. Hier wird deutlich, wie wichtig ausreichend Zeit ist, um eine sorgfältige Auswahl der Literatur zu treffen, von der schließlich die Qualität der Arbeit maßgeblich abhängen wird.

Die Qualität einer Hausarbeit hängt von der Qualität der Literatur ab.

Bis hierher hast du vor allem Literatur gesammelt, gelesen und für deine Zwecke ausgewertet. Du erhältst einen Überblick über das, was du später selbst beschreiben und darstellen wirst. Je mehr Zeit du dafür aufwendest, je sorgfältiger du arbeitest, desto leichter fällt dir das spätere Schreiben.

Überblick bedeutet aber auch gleichzeitig, mit möglichst wenigen Worten die wesentlichen Inhalte deiner Quellen zusammenzufassen – durch gekonntes Exzerpieren: Wenn du also nun vor einem ganzen Stapel von kopierten Texten und mit Dutzenden von Lesezeichen versehenen Büchern sitzt, so mache dir Folgendes zur Gewohnheit:

Alle wichtigen Texte exzerpieren!

Jeder Artikel oder jedes Kapitel behandelt ein in sich geschlossenes Thema. Dies ist die Überschrift deiner Zusammenfassung (auf der auch Quelle, Erscheinungsdatum und Autor vermerkt werden müssen). Anschließend solltest du versuchen, den Inhalt des vorliegenden Textes in wenige Worte zu fassen. Als Richtlinie kann gelten: ein bis zwei Stichworte pro Satz, ein kurzer Satz pro Absatz im Originaltext.

So erhältst du inhaltliche Puzzlesteine, aus denen du hinterher entsprechend deiner Gliederung die Arbeit zusammensetzen kannst.

Wenn du die Gliederung deiner Arbeit erstellst (dazu später noch mehr), hat es sich als recht hilfreich erwiesen, zu jedem Punkt der Gliederung ein paar Stichworte zu notieren und dazu zu vermerken, auf welche Quelle sie sich beziehen (ggf. auf einem separaten Zettel). Auf diese Weise findest du nachher beim Schreiben relativ schnell die entsprechenden Stellen und gewinnst außerdem einen guten Überblick über das Vorankommen. Sobald du diese detaillierte Gliederung erstellt hast, kann es sich lohnen, sie noch einmal mit dem Lehrer durchzusprechen.

Zum Schluss dieser Einführung ins Literaturstudium noch ein paar Tipps:

- Lieber einige Bücher zu viel ausleihen, als später nur auf die Reste zurückgreifen zu können
- Eine Literaturliste anlegen, in die du einträgst, welche Bücher du gelesen oder welche Webseiten du genutzt hast, ob sie zu gebrauchen sind oder nicht und wo die Stärken liegen; sie erleichtert dir später, dich in deinen Büchern und dem Internet zurechtzufinden
- Internetseiten ändern sich manchmal schnell – mach am besten einen Ausdruck von den Seiten, die du auf jeden Fall zitieren willst, und notiere das Datum darauf
- Besprich mit dem Lehrer, wie du bei Internetzitaten den Fundort angeben sollst
- Zu jedem Buch Autor, Titel, Verlag und Erscheinungsdatum notieren, damit dein Literaturverzeichnis vollständig ist

Gerade hier bei der Materialsammlung zahlen sich Sorgfalt und genügend Zeit doppelt und dreifach aus. Vergleiche es mit dem Funda-

ment, auf dem ein Haus gebaut wird und das solide und stabil sein muss, damit die Hütte später auch steht!

gut geplant ist halb gewonnen – die gliederung

Jetzt, nachdem du einen Überblick über dein Themengebiet hast, die Formalien hinsichtlich Umfang und Schwerpunkten mit deinem Lehrer geklärt sind, kannst du dich an die Gliederung der Arbeit machen. Unter der Gliederung verstehen wir eine Art Bauplan, in dem festgehalten wird, was in welcher Reihenfolge in der Arbeit Platz finden soll.

Ohne gute Gliederung keine gute Arbeit

Auch der Gliederung kommt eine wichtige Bedeutung zu, da sie dir beim weiteren Arbeiten als Richtschnur dient und ausschlaggebend für eine nachvollziehbare Struktur deiner Arbeit ist. Außerdem schützt sie davor, dass du dich in unwesentlichen Themengebieten verzettelst und deine Arbeit aus den Fugen gerät.

Generell sollte die Gliederung vom Allgemeinsten zum Speziellen hin erfolgen. D.h., das Thema muss zu Beginn in einen größeren Rahmen eingeordnet werden, um dann von dort aus detaillierter und schließlich an Beispielen konkretisiert zu werden.

Um auf das Beispiel Ökologie/Wattenmeer zurückzukommen: Zunächst müssten die Definition eines Ökosystems und seine Bedeutung in der Ökologie geklärt werden. Danach das System Wattenmeer genauer erläutert (Geographie global/regional, Besonderheiten im Vergleich zu anderen Systemen, Tiere und Pflanzen im Watt, ein oder zwei Beispiele von Tieren und Pflanzen ...). Zum Abschluss der Arbeit wäre es dann sinnvoll, eine Zusammenfassung der

Vom Allgemeinsten zum Speziellen

gewonnenen Erkenntnisse und ihrer Bedeutung zu geben, vielleicht einen Blick in die Zukunft zu wagen, also Perspektiven aufzuzeigen.

Inhaltsverzeichnisse von Büchern sind gute Anhaltspunkte. Wenn du dir nun aber nicht ganz so sicher bist, wie deine Gliederung zu deinem speziellen Thema aussehen kann, brauchst du nur einmal einen Blick auf die Inhaltsverzeichnisse deiner Literatur werfen. Wenn du z.B. ein Buch hast, das sich mit deinem Thema auf 200 Seiten befasst, so wird dir die Unterteilung dieser 200 Seiten in Kapitel und Unterkapitel einigen Aufschluss geben können, wie du deine Gliederung anpacken könntest. Wenn du Glück hast, kannst du dich sogar weitgehend an dieser Aufteilung orientieren. Außerdem steht dir ja auch noch dein Lehrer zur Verfügung, der wichtige Tipps haben wird.

Wenn nun also ungefähr feststeht, wie die Reihenfolge sein soll, musst du noch entscheiden, wie viel du zu den einzelnen Punkten schreiben willst. Das ist wichtig, damit die Arbeit nicht während des Schreibens über alle Grenzen wächst, nur weil du in deinen Büchern so viel Stoff findest. Eine mit 15 Seiten angekündigte Arbeit, die später auf 58 gewachsen ist, kann einige Missstimmung beim Lehrpersonal hervorrufen, das dann nämlich eine komplette Ferienwoche zur Korrektur opfern muss!

Die Gliederung kann sich während des Schreibens noch verändern. Trotzdem sollte die Gliederung als veränderbar angesehen werden, es kann nämlich durchaus sein, dass dir während des Schreibens der eine oder andere Punkt wichtiger bzw. unwichtiger erscheint als in der Vorbereitung und du deshalb den Umfang verändern willst. Das ist kein Problem, nur sei noch einmal betont, dass es überhaupt keinen Zweck hat, ohne eine Gliederung, also ohne ein Konzept, an die Facharbeit heranzugehen. Der Misserfolg wäre vorprogrammiert.

Wenn alles geklappt hat, hast du nach dieser Gliederungsphase eine Übersicht vor dir, auf der deine Arbeit in groben Zügen umrissen ist, auf der vermerkt ist, wie viel zu den einzelnen Punkten geschrieben werden soll, in welchem Buch etwas dazu steht oder auf welchem Exzerpt du den Inhalt zusammengefasst hast, ob eine Grafik oder ein Bild dazu kopiert werden soll, welche griffigen Formulierungen dir dazu eingefallen sind und wo der Bezug zum Unterricht hergestellt werden kann.

Tipp
Wer nun ganz sicher gehen will, lässt sich diesen Entwurf noch einmal vom Lehrer absegnen, wozu wir auch jedem raten möchten – eine Themaverfehlung ist so auf jeden Fall ausgeschlossen.

Ganz Ausgebuffte gehen sogar so weit und organisieren sich Arbeiten, die beim gleichen Lehrer in höheren Jahrgängen gute bis sehr gute Noten bekamen, und haben somit natürlich einen Trumpf auf der Hand, der kaum noch zu übertreffen ist!
Solltest du in der glücklichen Lage sein, zum Fachgebiet einen Experten zu kennen (Onkel ist Museumsdirektor, Vatter ist Nobelpreisträger in Elementarteilchenphysik oder Oma bei den Nürnberger Prozessen anwesend gewesen), so wäre es töricht, diese ungenützt zu lassen!

Achtung: Falle

Denk dran: Es ist vollkommen normal, wenn du beim Vorbereiten oder Schreiben zwischendurch eine Sinnkrise bekommst und auf einmal meinst, alles, was du bisher aufs Papier gebracht hast, sei der letzte Schwachsinn. Zerreiße jetzt um Himmels willen nicht deine sämtlichen Notizen oder lösche die Datei! Mit etwas Abstand sieht das alles schon wieder ganz anders aus. Wenn du unsicher bist, tausche dich mit Freunden oder deinen Eltern aus, hör dir an, was sie zu deinem bisherigen Skript zu sagen haben.

Ob du es glaubst oder nicht, aber den schwierigsten Teil deiner Facharbeit hast du nun schon hinter dir, denn was jetzt kommt, ist zwar noch ein Stückchen Arbeit, aber nicht mehr besonders schwierig, sondern eher Formsache!

endlich ist es so weit – das schreiben der arbeit

Sammle zuerst Stichworte zu jedem Gliederungspunkt.

Endlich kann es losgehen! Nach diesem Vorbereitungsmarathon liegen Gliederung und Literatur bereit, dem Schreiben steht nichts mehr im Wege. Je nachdem, wie detailliert deine Gliederung ist, funktioniert es ganz gut, entlang der Gliederung zu jedem Punkt in der Literatur Stichworte und Formulierungen zu sammeln oder was dir sonst noch so einfällt, und auf einem Zettel zu notieren.

Wenn dann also zu jedem Punkt mindestens ein solcher Stichwortzettel vorliegt, kannst du anhand dieser Stichworte die Hausarbeit ins Reine schreiben. Dass dies durchaus Spaß machen kann, wirst du spätestens dann merken. Und dass es außerdem sehr schnell von der Hand geht, liegt einzig und allein an deiner perfekten Vorbereitung!

Du solltest zusätzlich darauf achten, dass zwischen den einzelnen Gliederungspunkten logische Verknüpfungen stattfinden, d.h. eine kurze Ein- oder Überleitung (ein bis zwei Sätze), die klärt, was der folgende Abschnitt mit dem vorhergehenden zu tun hat.

Wenn du aus der Literatur wortwörtlich zitierst, so ist es erforderlich, dies durch Anführungsstriche deutlich zu machen und die Quellen zu nennen (das gilt auch für Internetseiten!). Ansonsten könnte der Verdacht aufkommen, du wolltest hier jemanden hinters Licht führen!

Wie funktioniert das Zitieren?

Tipp

Wenn ihr den richtigen Umgang mit Zitaten, Fußnoten und das Bibliographieren (die korrekte Auflistung von Fachliteratur) im Unterricht noch nicht besprochen habt, spätestens jetzt den Lehrer danach fragen.

Wenn du Abkürzungen benutzt, die über die täglich gebrauchten hinausgehen, so sind diese in einem Abkürzungsverzeichnis im Anhang zu erklären.

Es ist außerdem nicht üblich (vor allem in naturwissenschaftlichen Fächern), seine persönliche Meinung mit in die Arbeit einfließen zu lassen. Du verfasst eine vorwissenschaftliche Arbeit, deren Inhalte auf dem Studium von Literatur beruhen und nicht auf deinem Gutdünken. Also

Wohin mit der persönlichen Meinung?

bitte sachlich schreiben. Sofern deine Meinung überhaupt eine Rolle spielt, tut sie dies üblicherweise zum Schluss der Arbeit, wenn es um einen Ausblick, eine Zukunftsprognose oder eine Interpretation geht (und ist als solche deutlich zu machen!).

Tipp
Denk dran, während des Schreibens eine Sicherungskopie deiner Datei zu machen und in regelmäßigen Abständen zu speichern!

das auge isst mit – die gestaltung der arbeit

Ja, es ist schon richtig. Ob deine Arbeit dem Lehrer »schmeckt« und damit die gewünschte Note abwirft, hängt nicht zuletzt von dem Layout, also der Aufmachung der Hausarbeit ab. Leider wird diese von vielen sträflich vernachlässigt, obwohl jedes Kind weiß, dass auch Lehrer nur Menschen sind (auch wenn es manchmal nicht so scheint ...) und einen Sinn für Ästhetik haben – spätestens dann, wenn es um ihren Fachbereich geht!

Und selbstverständlich macht es einen Unterschied, ob deine Hausarbeit handschriftlich auf Karopapier mit einer Büroklammer zusammengeheftet und schon eine Woche im Rucksack herumgeschleppt abgegeben wird oder aber **Auch die** in einem Hefter, mit Computer erstellt und in formal per- **äußere** fekter Ausführung. Denn es soll sich da niemand täu- **Gestaltung** schen, dass gerade dieses Outfit den Unterschied zwi- **fließt in die** schen Zwei und Eins ausmachen kann, selbst wenn sich **Note ein.** das einige der Herren und Frauen Pädagogen nicht eingestehen möchten. (Nach dem Motto: Es kommt nur auf den Inhalt an, niemand braucht einen Computer!) Das gilt auch für Rechtschreibung und Kommasetzung! Lass am Schluss ein Rechtschreibprogramm drüberlaufen und treib am besten noch jemand auf, der die Zeichensetzung überprüft.

Achtung: Falle
Besorg dir rechtzeitig ausreichend Papier und eine Druckerpatrone in Reserve. Nichts ist schlimmer als ein Drucker, der am Sonntagabend vor dem Abgabetermin seinen Geist aufgibt!

Neben dem reinen inhaltlichen Teil gehören zu jeder Arbeit:

- Deckblatt (Name, Klasse, Lehrer, Thema ... – in manchen Bundesländern gibt es dafür Formblätter)
- Inhaltsverzeichnis
- Inhaltlicher Teil mit Einleitung, Hauptteil, Abschluss
- Anhang mit Ergänzungen, Grafiken, Bildern, Abkürzungen
- Literaturverzeichnis (s.a. Beispiel am Ende dieses Kapitels)
- Falls erforderlich eine Schlusserklärung, in der du versicherst, dass du die Arbeit ohne fremde Hilfe verfasst und alle verwendeten Quellen angegeben hast (Formulierung beim Lehrer erfragen)

Beginnen wir zunächst mit dem Schriftbild. Hier sollten keine Extravaganzen getrieben werden. Natürlich gibt es irre komische Schriften auf dem Computer, aber die werden der Sache nicht gerecht. Nimm eine gut lesbare Schreibmaschinenschrift (z.B. Courier, Times New Roman etc.) mittlerer Schriftgröße (12–14). **Beim Schriftbild besser nicht übertreiben.**

Vermeide es, der Nachwelt unter Beweis zu stellen, dass dein Textverarbeitungsprogramm über 56 verschiedene Schrifttypen verfügt. Verwende höchstens zwei verschiedene auf einer Seite.

Leider meinen manche Lehrer, ihre Korrekturen unsittlicherweise direkt im Text deiner Arbeit unterbringen zu müssen und nicht, wie es sich gehört, auf einem freien Blatt am Schluss der Arbeit. Deshalb legen einige von ihnen Wert auf einen Korrekturrand rechts am Rand der Seite, der drei bis vier Zentimeter Breite nicht unterschreiten sollte. Links sollten mindestens zwei Zentimeter Platz sein, damit die Heftung nicht das Lesen unmöglich macht.

Apropos Heftung: Wer auf die Lochung seiner Seiten verzichten möchte, verwendet für die losen Blätter seiner Arbeit so genannte Klemmhefter, die fast den Eindruck machen, die Arbeit sei gebunden. Wir empfehlen dir diese Klemmhefter dringend (wenn du nicht sogar die paar Mark opfern willst und eine »Schnellbindung« im Copyshop machen lässt). Nicht nur dass diese Art der »Heftung« klasse aussieht, in der Arbeit lässt sich so ohne Probleme blättern – da macht das Lesen Spaß!

Die Seitenzählung nicht vergessen. Alle Seiten werden durchnummeriert, um dann im Inhaltsverzeichnis darauf Bezug nehmen zu können. Die Seitenzahl kommt dabei in die erste oder unterste Zeile mittig oder rechts, z.B. – 16 –. Gezählt wird jedes Blatt, das zur Arbeit gehört, auch das Deckblatt, sodass der eigentliche Text üblicherweise auf Seite 3 oder 4 beginnt (je nach Länge des Inhaltsverzeichnisses).

Die Gliederung deiner Arbeit sollte nicht nur im Inhaltsverzeichnis, sondern auch im laufenden Text erkennbar sein. Für die Nummerierung der Kapitel und deren Unterkapitel hat sich folgendes System bewährt:

Erstes Kapitel	=	1
Erstes Unterkapitel	=	1.1
Zweites Unterkapitel	=	1.2 usw.

> **Achtung: Falle**
> Wenn du ein Kapitel untergliederst, darf es nicht nur ein einziges Unterkapitel geben – wenn es 3.1 gibt, muss mindestens noch 3.2 folgen.

Bei längeren Textstücken kann es sogar sinnvoll sein, die Unterkapitel noch einmal zu unterteilen, damit die Struktur erkennbar wird und es dem Leser leichter fällt, den Überblick zu behalten. Dennoch solltest du hier nicht übertreiben und nur der Show halber deine 15-seitige Arbeit in 17 Kapitel und 20 Untertitel und womöglich 65 Unteruntertitel gliedern.

facharbeit mit schuss – die extras

Wenn du bei deiner Materialsammlung auf aussagekräftige Grafiken, Bilder, Skizzen und Zeitungsausschnitte gestoßen bist, so können diese eine wertvolle Bereicherung deiner Arbeit sein.

Formal gehören diese Bildchen und Grafiken in den Anhang, wobei an der entsprechenden Stelle im Text ein Verweis darauf stehen sollte, sei es als Fußnote (*1) oder in Klammern. Niemandem nützen viele womöglich farbige Bildchen im Anhang, wenn keiner weiß, wohin sie gehören! Stören diese aber nicht den Lesefluss, können sie auch in den Text eingefügt werden. Sie zu nummerieren kann von Vorteil sein, insbesondere dann, wenn du auch noch an anderer Stelle im Text darauf Bezug nehmen

Bildmaterial und Tabellen können eine Arbeit aufwerten.

möchtest. Also scheue dich nicht, auch mal ein paar Mark in Farbkopien zu investieren (deine Eltern werden für diesen wirklich guten Zweck sicherlich ein paar Mark springen lassen!), denn dies ist für jeden Lehrer der Beweis, dass dir wirklich was an seinem Fach liegt.

Das ganz an den Schluss der Arbeit geheftete Literaturverzeichnis hat den Zweck, dem Leser die Möglichkeit zu geben nachzuvollziehen, welche Literatur du zum Erstellen deiner Arbeit verwendet hast. Man kann so nämlich sehen, ob du eventuell abgeschrieben hast, was fremde und was eigene Ideen und Leistungen sind, insbesondere wenn die Arbeit einen Teil hat, in dem deine eigene Meinung oder eine Schlussfolgerung gefragt ist. Hier geben

Sinn und Zweck des Literaturverzeichnisses

wir nur den dezenten Hinweis, dass kaum ein Lehrer sich die Mühe machen wird zu überprüfen, ob du tatsächlich alle 15 Bücher aus der Liste gelesen und verarbeitet hast. Wie viel Mogelei du mit deinem Gewissen und dem Intellekt deines Lehrers vereinbaren kannst, musst du selbst entscheiden. Sollte dennoch die eine oder andere Frage an dich bezüglich der Literatur gestellt werden, nur keine Panik! Entweder hast du aus diesem Buch nur eine Grafik kopiert, hast es nur der Vollständigkeit halber erwähnt, weil du es im Laufe deiner Recherche in den Fingern hattest, oder du kannst dich einfach nicht mehr genau erinnern (wer kann das schon bei 20 verwendeten Titeln?).

Warnen möchten wir jedoch sehr davor, Argumente oder andere Informationen aus Büchern zu verwenden und diese dann nicht im Literaturverzeichnis aufzuführen oder sogar Teile abzuschreiben und diese dann nicht als Zitate kenntlich zu machen. Von moralischen oder juristischen Bedenken mal ganz abgesehen, kann es erstens sein, dass sich der Lehrer in der Fachliteratur besser auskennst, als du denkst, oder sich das Buch als Standardwerk herausstellt, das schon jeder kleine Referendar auswendig kennt.

Und zweitens ist es für jeden Lehrer, der auch nur einigermaßen was auf dem Kasten hat, ganz schnell offensichtlich, wenn sich der Stil des Textes plötzlich ändert und du von deinem üblichen mittelprächtigen Gestammel in lupenreinen Wissenschaftsjargon verfällst.

Also: Versuch's erst gar nicht. Autor, Verlag, Auflage und Jahr im Literaturverzeichnis müssen stimmen, ansonsten kann der Verdacht des Betruges auf dich fallen. Wie ein solches Verzeichnis aussehen kann, zeigt das Beispiel am Ende dieses Kapitels.

Ideenklau ist gefährlich!

So, nachdem wir dich nun von der Themafindung bis zum Literaturverzeichnis deiner Facharbeit begleitet haben, dürfte deinem Erfolg eigentlich nichts mehr im Wege stehen. Die richtige Arbeitstechnik und eine gekonnte Aufmachung können sicher so manche fachliche Schwäche wettmachen und sollten für dich Anlass sein, dich auch mal freiwillig an eine Hausarbeit heranzuwagen.

Nur täusche dich in einem nicht: der Zeit. Du kannst eigentlich gar nicht genug davon haben. Besonders bei der Materialsammlung gehen etliche Stunden drauf. Gerade wenn eine Arbeit zum Beginn des Halbjahres vergeben wird, neigt man leicht dazu, sie vor sich her zu schieben.

Realistische Zeitplanung ist entscheidend.

Aber Vorsicht! Materialsammlungsphase und Gliederung sollten aufeinander folgen und in einem Zug erledigt werden: Nicht nur weil es unmöglich ist, gesammeltes und gelesenes Material erst fünf Wochen später zu gliedern, sondern auch weil für Materialsammlung und Gliederung die meiste Zeit und Arbeit benötigt wird und im Laufe des Schuljahres Klausuren, Frauen bzw. Männer und andere Verpflichtungen kaum noch Freiräume lassen.

Wenn du nun noch vor der eigentlichen Abgabe eine Rückmeldung über deine fertig formulierte Arbeit haben möchtest und vielleicht sogar noch Zeit zur Korrektur besteht, dann zeig deine Arbeit doch einfach mal jemandem und bitte ihn, sie kritisch zu lesen und zu beurteilen. Egal, ob nun deine Schwester oder ein befreundeter Lehrer dir noch ein paar Verbesserungsvorschläge gibt, häufig sind es Dinge, auf die man selbst gar nicht gekommen wäre und die so noch entdeckt werden. Die Arbeit wird wieder ein Stück perfekter.

Tipp

Gute Hinweise zum Thema Facharbeit (mit Beispielaufsätzen und ausführlichen Infos zum Bibliographieren und anderen Formalia) findest du auch in dem Buch »Referate und Facharbeiten: Effektive Arbeitstechniken für die Oberstufe« (Stark Verlag).

checkliste
Die schriftliche Hausarbeit

So früh wie möglich beginnen, am besten einen Zeitplan aufstellen und einhalten!

Das Thema nach folgenden Kriterien wählen
- Interessiert mich das Thema?
- Komme ich damit zurecht?
- Habe ich genügend Zeit für dieses Thema?
- Ist es zu umfangreich? Kann ich es eingrenzen?
- Kann ich gutes Material beschaffen?
- Habe ich sonstige Vorteile von diesem Thema? (Dem Lehrer liegt viel daran, ich kenne Experten, habe schon einmal etwas Ähnliches gemacht ...)
→ ein für dich optimales Thema

Material beschaffen und auswerten
- Sich mit dem Lehrer absprechen, Tipps/Empfehlungen geben lassen
- Bibliothek, Zeitschriften, Filme besorgen und auswerten/sichten
- Gezielte (!) Internetrecherche
- Mit allgemeiner Literatur beginnen, dann speziellere lesen
- Bücherliste anlegen und Literatur eintragen
→ Fachwissen, Themenüberblick, Materialfundus

Gliederung erstellen
- Konzept anhand der eigenen Kenntnisse entwickeln
- Zuhilfenahme von Gliederungen aus der Literatur

- Vom Allgemeinen zum Speziellen vorgehen, eigene Meinung und Perspektive zum Schluss
- Kapitel und Unterkapitel planen
- Hilfe vom Lehrer (Schwerpunkte, Umfang, Bezug zum Unterricht ...) in Anspruch nehmen
→ Grundgerüst der Arbeit, Umfang und Abfolge der Themen

Manuskript anfertigen

- Anhand der Gliederung Informationen (Text, Bilder, Grafiken ...) zusammentragen und ordnen
- Zu jedem Gliederungspunkt den ausformulierten Text verfassen
- Sicherungskopie erstellen und regelmäßig abspeichern
- Bilder und Grafiken dem Text zuordnen
- Evtl. noch mal einzelne Probleme mit dem Lehrer klären
→ Rohfassung der Arbeit, kann noch verändert werden

Reinfassung anhand des Manuskriptes schreiben

- Formale Vorgaben (Schrift, Ränder, Aufmachung, Heftung ...) mit dem Lehrer besprechen
- In sachlichem Stil schreiben
- Überleitungen zwischen den Abschnitten nicht vergessen
- Kapitel- und Unterkapitelzählung beachten
- Abkürzungen im Anhang erklären
- Auf Grafiken und Bilder im Anhang verweisen
- Zitate in Anführungszeichen setzen, Quellenangabe machen
- Überprüfung von Rechtschreibung und Zeichensetzung
→ Inhaltlich und formal perfekte Arbeit

Präsentation der Arbeit in professioneller Aufmachung

- Deckblatt
- Inhaltsverzeichnis
- Anhang mit Bildern, Skizzen, Grafiken, Abkürzungen
- Literaturverzeichnis
- Seitenzählung beachten
- Auf gutem Papier ausdrucken
- Optisch ansprechende Heftung verwenden (am besten Klemmhefter oder Schnellbindung)
- → Arbeit fertig zur Vorlage beim Lehrer

Zusätzliche Möglichkeiten

- Wenn genug Zeit bis zur Abgabe, Arbeit von kritischen und fachlich kompetenten Lesern lesen lassen
- → Wenn nötig, den Vortrag als Referat vorbereiten (s.a. »Das Referat«)

inhaltsverzeichnis
Muster

literaturverzeichnis
Muster

Butler, Adam u.a.: *Ars-Kunst;* München: ars edition 1995

Haftmann, Werner: *Malerei im 20. Jahrhunderts. Eine Entwicklungsgeschichte (Bd. 1);* München: Prestel 2000

Haftmann, Werner (Hrsg.): *Suprematismus. Die gegenstandslose Welt;* Köln: DuMont 1989

Lucie-Smith, Edward: *Die moderne Kunst. Malerei, Fotografie, Grafik, Objektkunst;* München: Südwest ²1996

Mondrian, Piet: *Das Leben des Piet Mondrian. Eine Autobiographie;* Köln: Du Mont 1957

Richter, Horst: *Geschichte der Malerei im 20. Jahrhundert. Stile und Künstler;* Köln: DuMont 1998

Tipps

Gib immer den gesamten Untertitel an.

Mit das Wichtigste beim Bibliographieren ist die Einheitlichkeit. Wenn du beim Vornamen des Autors nur den ersten Buchstaben angibst, kannst du ihn beim fünften Buch nicht plötzlich ausschreiben; entweder du nennst bei allen Büchern den Namen des Verlages oder bei keinem etc.

bühne frei!

Das Referat

Das Referat ist ein enger Verwandter der Hausarbeit. Mit ihm soll der Schüler sein selbst erarbeitetes Wissen über ein Fachgebiet seinen Mitschülern vorstellen und sich gleichzeitig im Vortragen und mündlichen Erläutern eines Themas üben. Grund für uns, hier die Vorbereitung, Ausführung und Nachbereitung eines guten oder sehr guten Vortrages zu beleuchten. Mehr als einmal nämlich wirst du im späteren Berufsleben, im Verein oder schon im mündlichen Abitur der Herausforderung ausgesetzt sein, nur anhand von Notizen einen souveränen Vortrag halten zu müssen. Das Schulreferat ist für solche Krisensituationen die perfekte Übung.

Referate sind eine gute Möglichkeit, sich aufs mündliche Abitur vorzubereiten.

Bis zu dem Punkt, an dem du bei der Hausarbeit dein Manuskript in die Reinschrift überträgst, sind Referat und Hausarbeit gleich zu bearbeiten. Dann jedoch muss bei dem einen das Thema in eine schriftlich perfekte Form gebracht, bei dem anderen aber für einen gekonnten Vortrag aufbereitet werden.

Werde ich aber jemals auch nur halb so gut werden wie die Profis mit ihren ach so perfekten Reden, Statements oder Fachvorträgen, bei denen keine Fehler passieren, eine makellose bunte Folie der anderen folgt, ein Diagramm das nächste ablöst und zum Schluss lauter Beifall erklingt? Du wirst dich wundern, aber es sind wirklich nur drei Dinge nötig, um ein nahezu perfektes Referat zu präsentieren:

❶ lückenlose Themenkenntnis (wie bei der Hausarbeit auch!)

❷ richtige und genaue Vorbereitung

❸ und Übung, Übung, Übung ...

du selbst bist dir im weg – was dich vom erfolg abhält

Sobald es um ein Referat geht, spukt vielen von euch nur noch ein Gedanke im Kopf herum: »O Gott, ich muss ja vor Leuten reden!« Und damit sind wir schon beim Kern des Problems: der Angst. Angst, frei vor anderen sprechen zu müssen, Fragen gestellt zu bekommen, vor 40 Augen, die erwartungsvoll auf dich gerichtet sind, und davor, unter dem Druck zu stehen, eine bestimmte Zensur erreichen zu wollen.

Diese Angst und der Arbeitsaufwand, den so ein Referat mit sich bringt, führen nur allzu häufig dazu, dass wieder alles auf den letzten Drücker gemacht wird und somit der Misserfolg beinahe schon vorprogrammiert ist.

Wichtig ist für dich, ein Referat als Angebot zu sehen. Als Angebot des Lehrers, der dir eine gewisse Zeit seines Unterrichts zur Verfügung stellt, um deine Mitschüler mit einem bestimmten Gegenstand zu konfrontieren. Es ist nämlich bei den manchmal ohnehin sehr knapp bemessenen Wochenstundenzahlen verständlich, dass so mancher Pädagoge aus der Fassung gerät, wenn der vermeintliche Referent, schlampig vorbereitet, viel zu spät erscheint, ein gutes Dutzend verrotzter Folien auf den Projektor klatscht, gelangweilt und nölend einen vorgeschriebenen Text Wort für Wort abliest, der weder mit dem Thema geschweige denn mit den Folien auch nur das Geringste zu tun hat, und obendrein die Zeit um die Hälfte überzieht.

Referate sind eine gute Möglichkeit, dich positiv zu präsentieren.

Indem dir dein Lehrer einen Teil seiner Zeit »opfert«, setzt er Vertrauen in dich. Dieses Vertrauen zu enttäuschen kann dich auf lange Sicht in Misskredit bringen. Es heißt also nicht: »Ich muss reden«, sondern »Ich darf reden«!

Wenn wir nun behaupten, du selbst würdest dir im Wege stehen, so wollen wir, dass du an deiner Einstellung zum Referatehalten arbeitest. Die Redeangst, für viele ein schier unüberwindliches Hindernis, ist da nur ein Teil des Problems. Und Angst verschwindet durch die richtige Einstellung und Übung. Je häufiger du dann referieren wirst, desto routinierter in Vorbereitung und Ausführung wirst du und desto besser die Noten. Schon nach den ersten zwei bis drei Referaten wirst du staunen, wie du Fortschritte machst und Spaß an der Sache gewinnst. Je öfter du Referate hältst, desto schneller wirst du mit dem Vorbereiten fertig. Du sparst also durch Übung eine Menge Zeit und Arbeit. Und – kassierst super Mitarbeitsnoten ein.

Referate können auch Spaß machen!

der kleine unterschied – die vorarbeit zum referat

Nicht umsonst haben wir eingangs das Referat als Verwandten der Hausarbeit bezeichnet, denn gerade in der Entstehung gleichen sich beide. Genauso wie bei der Hausarbeit stehen am Anfang die Recherche, das Literaturstudium, die Einarbeitung in das Thema. Wie du das am besten hinbekommst, haben wir auf Seite 44 bis 52 gezeigt.

An der Stelle jedoch, an der die Hausarbeit ins Reine geschrieben wird, trennen sich die Entstehungswege. Das Referatthema muss nun zum Vortragen aufbereitet werden, also nicht für den Leser, sondern für den Zuhörer. Wer schon einmal ein halbstündiges Referat über sich ergehen lassen musste, das von einem Mitschüler Wort für Wort abgelesen wurde, weiß, wovon wir reden. Kein Zuhörer kann über längere Zeit Inhalte aufnehmen, die bloß dröge abgelesen werden, ohne schnarchend in Tiefschlaf zu fallen. Der Hörer soll nicht berieselt werden, er will leicht verständliche Sätze, Bilder, Grafiken in lebendigem Vortragsstil vorgesetzt bekommen – und er will einen Referenten, der auf die Zuhörerschaft eingeht, mit ihr spricht und nicht an ihr vorbeilabert.

Behalte deine Zuhörer im Kopf.

vorher, während, danach – das referat in drei etappen

Je unerfahrener du als Referent bist, desto wichtiger wird das »Vorher« für dich sein. Dein Erfolg hängt wesentlich von deiner Planung und Vorbereitung ab. Wichtig dafür sind wieder einmal die Ansprüche deines Lehrers. Insbesondere die dir zur Verfügung stehende Zeit ist ausschlaggebend, aber auch inhaltliche Schwerpunkte und andere Anforderungen (z.B. Skript zum Referat, Merkzettel, zu benutzende Hilfsmittel, Modelle, Folien, Medien ..., vgl. hierzu »Die schriftliche Hausarbeit«).

Wenn du dich nun gut in den Stoff eingearbeitet, dir also wie bei der Facharbeit einen Überblick verschafft hast, liegt die erste Hürde darin, den Stoff in den zeitlichen Rahmen einzupassen. Wir unterscheiden dazu zwischen der reinen Vortragszeit und der Referatszeit. Ein Beispiel: Du bekommst für dein Referat eine Unterrichtsstunde (45 min.) zur Verfügung gestellt. Das bedeutet für dein Referat:

Wie lang ist die reine Redezeit?

- **5–8 Minuten Rüstzeit** (Lehrer schließt den Raum zu spät auf, Overheadprojektor defekt oder nicht da, Aufhängen von Plakaten, Vorbereitung von Modellen ...)
- **10–15 Minuten Nachbereitung** (Fragen von Schülern oder dem Lehrer, Diskussion des Themas, Kritik am Referenten, Vergabe der Hausaufgaben für die nächste Stunde ...)
- **1–3 Minuten für Zwischenfälle** (Stromausfall, Kreidemangel, Konzeptpapier fällt zu Boden, Fliegeralarm, Sturzgeburt bei einer Mitschülerin ...)

Wenn du nachrechnest, stellst du fest, dass die reine Redezeit zwischen 19 und 29 Minuten liegt. Diese gilt es mit deinem Vortrag zu füllen. Wobei lieber etwas zu viel Zeit zum Fragen und Diskutieren bleiben sollte als zu wenig. Jeder Lehrer wird nach dem Referat noch seinen Senf dazugeben, kommentieren, kritisieren, fragen oder sich einfach nur wichtig machen wollen. Also tu ihm den Gefallen, er wird es dir in Form von Punkten danken!

Tipp
Wenn du während deiner Vorbereitung feststellst, dass du so viel interessantes Material zusammenbekommst, dass die vom Lehrer für das Referat angesetzte Zeit nicht ausreicht, solltest du ihn ein oder zwei Schulstunden davor fragen, ob du nicht länger halten darfst. Dann musst du keine Angst haben, zu lang zu werden, und beeindruckst ihn außerdem mit deinem Engagement.

Nachdem du nun eine ungefähre Vorstellung von deiner Redezeit hast und weißt, wo die Schwerpunkte liegen sollen, musst du dein Konzept erstellen. Das fertige Konzept **Ablesen gilt** ist eine Stichwort-, Daten-, Zitate- und Formulierungs- **nicht!** sammlung, die es dir möglich macht, dein Referat frei (!) vorzutragen und trotz Zwischenfragen nicht durcheinander zu kommen. Eine Absage müssen wir also allen erteilen, die bis hierher noch dachten, sie könnten Text ablesen. Nix da! Frei sprechen ist angesagt! Wäre ja noch schöner.

Abgelesene Referate sind schon von Anfang an zum Scheitern verurteilt; »Thema verfehlt!« könnte jeder Lehrer zu Recht sagen, denn gerade das freie Vortragen ist ja wesentliches pädagogisches Ziel!

Um jetzt dein Konzept zu entwickeln, gehst du genauso vor, als ob du das Manuskript zu einer Hausarbeit erstellst, denn damit liegen Gliederung, Inhalt und ggf. Anschauungsmaterial (Grafiken, Modelle, Schemata ...) fest.

Wichtig in dieser Phase ist es, sich eine fundierte Themenkenntnis zuzulegen, die über das, was vorgetragen wird, hinausgehen muss. Der Hintergrund zu deinem Thema muss ebenfalls bekannt sein, denn nach ihm wird häufig gefragt. Außerdem: Je besser du dich im Thema auskennst, desto mehr kannst du dich auf das Vortragen konzentrieren, dein Wissen also besonders gut rüberbringen. Fachwissen ist also ganz entscheidend für Erfolg oder Pleite. Grund genug, mindestens ein Drittel deiner Vorbereitungszeit nur auf die Aneignung von Wissen zu verwenden. Wie du das am effektivsten machst, ist eine persönliche Sache, die jeder anders handhabt. Ratsam kann es sein, wie bei der schriftlichen Hausarbeit vorzugehen und ein sehr ausführliches »Manuskript« zu schreiben, das du dann in- und auswendig beherrschst.

Fachwissen ist entscheidend für Erfolg oder Pleite.

deine stütze – das konzept

Das Konzept, also der Stichwortzettel, der dir durch dein Referat helfen soll, entsteht erst, wenn du voll im Thema bist. Denn mit ihm musst du die Reihenfolge der Teilinhalte deines Referates endgültig festlegen. Der Umfang dieser Stichwortsammlung richtet sich ausschließlich nach der reinen Redezeit. Und 25 oder auch nur 15 Minuten können eine verdammt lange Zeit sein, wenn dir der ganze Kurs zuhört! Deshalb ist exakte Planung unerlässlich.

Erstelle also zuerst eine Liste aus dem Kopf, auf der alles, was dir aus deinem Fachwissen wichtig erscheint, aufgeführt ist – Brainstorming ist angesagt.

Dein Wissen muss logisch gegliedert werden.

Ziemlich sicher hast du nun schon das Grundgerüst deines Vortrages. Nun geh deine Notizen bzw. dein »Manuskript« noch einmal durch, ergänze Zahlen, Daten, Zitate und wähle griffige Formulierungen, die deine Stichworte untermauern und veranschaulichen!

Auch Bezugspunkte zu vorherigen Unterrichtsstunden müssen vermerkt werden, damit sie beim Vortragen nicht vergessen werden. Vermerke alles, was du sagen willst (z.B. Witze, Anmerkungen oder Bezüge zur letzten Stunde), denn du wirst beim Vortragen im Eifer des Gefechts alles, was nicht in kurzen Stichworten notiert ist, vergessen – garantiert!

Achte auf den logischen Ablauf – werden die Zuhörer, die sich im Thema weniger gut auskennen, deiner Argumentation folgen können? Nun ordne alles noch einmal, leg Augenmerk auf glatte Überleitungen von Abschnitt zu Abschnitt und schließlich: Schreib alles in Stichworten sauber und gut lesbar untereinander: Dein Konzept liegt vor dir!

Tipp

Viele Moderatoren benutzen für ihr Konzept DIN-A5-Karteikarten, die sich gut handhaben lassen und reichlich Platz bieten (außerdem fällt deine zittrige Hand damit weniger auf als mit einem DIN-A4-Blatt!). Schreibe so groß wie möglich (am besten mit Computer), da du dich in deiner Aufregung beim Vortrag in einer mit Miniaturschrift zerscharteten Karteikarte garantiert verzettelst.

Zusätzlich können wir dir raten, die einzelnen Karten zu nummerieren, denn: Sollten sie dir einmal im Eifer des Gefechts herunterfallen, bleibt dir lästiges und peinliches Neusortieren erspart!

Verwende beim Vortragen in jedem Fall so kurze Sätze wie möglich, vermeide allzu viele Nebensätze und abenteuerliche grammatikalische Konstruktionen.

referat mit pepp – das anschauungsmaterial

Wie anfangs schon erwähnt, gehört zu einem Referat mehr als nur das Vortragen von Fakten. Der Vortrag allein kann gerade bei Anfängern schnell langweilig werden. Tu dir und deinen Zuhörern also den Gefallen und versuche Abwechslung in dein Referat zu bringen. Wir denken dabei weniger an Kabaretteinlagen, Brillantfeuerwerk oder Tabledance, sondern eher an Overheadfolien, Dias, Videofilme, Tonbandausschnitte, großformatige Schaubilder, Kopien, die verteilt werden, Modelle zur Veranschaulichung und, und, und ... – der Fantasie sind keine Grenzen gesetzt. Alle haben eines gemeinsam: Sie sollen den Vortrag auflockern und die Zuhörer »bei der Stange« halten. Sie versinnbildlichen zudem das von dir Gesagte und erhöhen somit das Verständnis. Für dich konkret liegt der Vorteil darin, dass du nicht andauernd am Stichwortzettel hängst, sondern anhand einer Folie oder eines Modells etwas frei erklären kannst. Dein Lehrer wird diese zusätzliche und wirkungsvolle Leistung zweifellos belohnen.

Anschauungsmaterial hält deine Zuhörer »bei der Stange«.

Gerade **Overheadfolien** eignen sich hervorragend, sind einfach zu beschaffen und zu handhaben. Entweder erstellst du auf gekaufter Folie (für wenig Geld im Schreibwarenhandel) mit speziellen Folienstiften oder dem Computer deine eigenen Folien oder du kopierst im Copyshop besonders anschauliche Seiten aus Büchern oder Zeitschriften auf Folie.
Nicht ganz so einfach zu verwenden sind große **Schaubilder**, die auf DIN-A2- oder -A1-Papier angefertigt werden.

Sie sind nicht nur aufwändiger in der Herstellung (teure Stifte und Papier), sondern verknittern häufig beim Transport und haben ihrer Tücken beim Aufhängen.

Dias oder gar **Filmausschnitte** sind natürlich besonders anschaulich, aber auch hinterhältig in der Handhabung, insbesondere wenn die Vorbereitung nicht perfekt ist. Vom Abdunkeln des Raumes angefangen über die Leinwand, den Fernseher und das Auffinden des Videokanals über seitenverkehrte Dias, reißende Filme, quäkenden Ton und, und, und ... Die Liste der Dinge, die schief gehen können, lässt sich fortsetzten; daran solltest du dich nur wagen, wenn du ausreichend Vorbereitungszeit und Erfahrung im Umgang mit diesen Medien mitbringst.

Verteile Kopien deiner Gliederung. Ganz anders dagegen verhält es sich mit den **Kopien**, die du in Ruhe und mit viel Sorgfalt zu Hause vorbereiten kannst, auf denen Text genauso wie Bilder und Grafiken Platz haben und die kostengünstig, manchmal sogar umsonst am Schulkopierer erstellt werden können. Mit ihnen hat außerdem jeder Mitschüler am Ende des Referates noch einmal einen Kurzüberblick für zu Hause. Sie sollten eigentlich bei keinem Referat fehlen. Wenn du sie vor Beginn deines Vortrages ausgibst, kann jeder anhand dieser Gliederung den Inhalt gut überblicken und schneller ins Thema finden. Beschränke dich jedoch auf das Wesentliche – diese Kopien sind nicht das Gleiche wie dein Konzept!

Beim Anschauungsmaterial nicht übertreiben. Häufig wird dir dein Lehrer bei der Auswahl des Anschauungsmaterials behilflich sein können, da die meisten Schulen über einiges an Möglichkeiten verfügen, auf das du zurückgreifen kannst. Dein Lehrer kann auch gut beurteilen, was sinnvollerweise gezeigt werden soll und was eher nicht. Hüte dich nur davor, allzu riesigen Aufwand zu treiben! Es macht keinen Sinn, binnen deiner 20 Minuten 40 knallbunte Folien durch den Projektor zu jagen, nebenher einen Film laufen zu lassen, der sich auf deine 12 gezeig-

Wie anfangen?

Eine kurze Erläuterung der Hauptgliederungspunkte, so wie sie auf der verteilten Kopie aufgeführt sind, eignet sich gut als Einstieg. À la: »In meinem Referat möchte ich heute zeigen, warum die Idee XYZ für die Demokratie des 21. Jahrhunderts so wichtig ist. Dazu werde ich zuerst die Konzepte von A und B gegenüberstellen, um dann auf die Theorie von C einzugehen. Abschließend möchte ich die aktuellen Tendenzen in Blablabla beleuchten.« Zugegebenermaßen kein sehr origineller Auftakt, aber er eignet sich immer, wenn dir nichts Besseres einfällt, und erleichtert es den Hörern, dir zu folgen.

ten Modelle bezieht, und deine Mitschüler in einem Wust von Kopien zu ersäufen. Deine Zuhörerschaft wird bald die Lust an dieser multimedialen Reizüberflutung verlieren und abschalten.

Du solltest dich so früh wie möglich für dein benötigtes Anschauungsmaterial entscheiden und es bei dir zu Hause zu Verfügung haben. Zunächst um es in dein Konzept einzuarbeiten (Was will ich zu welchem Anschauungsmaterial sagen?) und zweitens, um damit das Vortragen zu üben!

übung macht den meister – perfektion trainieren

Das Fachwissen ist da, das Hintergrundwissen ebenfalls, Anschauungsmaterial ist ausgewählt, das Konzept steht. Was nun? Nun beginnen die Proben. Wie im Theater liegt auch für dich das Geheimnis nicht nur darin zu wissen, was du sagen willst (Text), sondern auch wie du es sagen willst (Inszenierung). Zur »Inszenierung« deines Wissens gehören nicht nur die Dauer deines Vortrags, sondern ebenso Kleidung, Gestik, Mimik, Abfolge der Handlungen, Stimme und so weiter. Und wie bei Schauspielern sind die Proben deines »Stückes« für deinen Erfolg entscheidend.

Du solltest also jede Gelegenheit nutzen, um den freien Vortrag deines Referats zu trainieren. Dies ist deshalb wichtig, da ein noch so guter Inhalt durch eine schlechte Vortragsweise kräftig versaut werden kann.

Dein Konzept muss so vorbereitet sein, dass du mit einem kurzen Blick darauf erkennst, was der nächste wichtige Punkt ist und mit welcher Argumentation du dorthin kommst. Ansonsten sollte das Layout ganz deinen persönlichen Ansprüchen genügen, denn nur du allein musst dich damit zurechtfinden.

Versammle also zu Hause dein Konzept und dein Anschauungsmaterial um dich und halte dein Referat. Lass zur Kontrolle die Uhr mitlaufen. Du wirst nach dem ersten Mal Üben wahrscheinlich enttäuscht sein: Bist häufig hängen geblieben, hast dich in deinen eigenen Sätzen »verheddert«, nicht weitergewusst, etwas im Anschauungsmaterial nicht gefunden usw. Die Liste der Pannen ist groß. Macht aber nichts, denn du hast genügend Zeit, um sie zu erkennen und zu beheben.

Halte dein Referat im Stehen (vielleicht sogar vor dem Spiegel), lass Kassettenrekorder und Uhr mitlaufen, halte es vor deiner Familie oder Freunden! Es wird von Mal zu Mal besser klappen, die Formulierungen werden immer professioneller und deine Sicherheit immer größer.

Auf was du außerdem noch achten musst:

- Überschreite nicht deine reine Redezeit, kürze ggf. an einigen Stellen
- Suche Blickkontakt zu deinen Zuhörern

- Stehe nicht stocksteif und verkrampft, laufe langsam vor der Klasse auf und ab
- Stehe entspannt und atme gleichmäßig
- Rede betont ruhig, deutlich und nicht zu leise
- Fummle nicht aus Nervosität am Tisch oder Projektor herum (lenkt ab!)
- »Verstecke« dich nicht hinter dem Pult
- Lächle häufig
- Vermeide lange, verschachtelte Sätze
- Schwierige Passagen ruhig zweimal erklären
- Überlege, wo Fragen auftreten könnten
- Lerne die Eröffnung auswendig
- Lass die Zuhörer kurze Fragen sofort stellen, nicht erst später, hüte dich aber vor allzu umfangreichen Fragen, dein Referat könnte zerpflückt werden! Gerade die Wichtigtuer unter deinen Klassenkameraden gilt es hier skrupellos abzuwürgen!

Übe deinen Vortrag also in allen Einzelheiten, ertappe Fehler im Detail, trainiere jeden Ablauf: Wann welche Folie, welches Modell? (Was soll daran verdeutlicht werden, wie soll das geschehen?)
Gerade wenn du glaubst, das Referat perfekt zu beherrschen, solltest du es noch mal vor einer Zuhörerschaft, z.B. deiner Familie oder Freunden, vortragen. Jetzt kommt es auf Perfektion an, schließlich ist es deine Generalprobe! Bitte danach um ausführliche Kritik: War das Referierte inhaltlich und sprachlich zu verstehen? Stimmten deine Körperhaltung, deine Gestik und Mimik? Hat der Gebrauch deines Anschauungsmaterials funktioniert?

wem die stunde schlägt – deine referats-stunde

Jetzt ist es also so weit: Der Tag deines Referates ist gekommen! Na und?, fragen wir. Denn wenn deine Vorbereitung so abgelaufen ist, wie wir es dir geraten haben, hast du nicht das Geringste zu befürchten.

Wenn du in der Stunde vor deinem Referat noch Zeit hast, du sie dir einfach nimmst oder gar eine Freistunde hast, ist das prima, aber nicht zwingend nötig. Nutz die Zeit, um noch einmal einen ruhigen Blick auf deine Unterlagen zu werfen und deine Materialien durchzugehen. Sind alle Folien und Kopien bereit? Ist der Zeigestock da? (Ansonsten tut es auch ein Kuli.) Sei auf jeden Fall pünktlich im Vortragsraum; optimal ist, wenn du in der Stunde vorher den Raum schon vorbereiten, d.h. den Overheadprojektor aufstellen und ausprobieren, die Infokopien auf den Plätzen verteilen, Modelle bereitstellen und ggf. den Raum etwas abdunkeln kannst. Du kannst dann sogar eine letzte Generalprobe unter realen Bedingungen machen und dich voll auf die Akustik des Raumes und den Gebrauch des Overheadprojektors einstellen!

Geh alle Materialien noch einmal in Ruhe durch.

krank im letzten moment ? – das lampenfieber

Da jetzt dein Raum vorbereitet ist, nach und nach deine Zuhörerschaft eintrudelt, wird dich sicherlich Lampenfieber in seiner heftigsten Form plagen. Schwitzige und zittrige Hände hinterlassen Abdrücke auf den Folien und es ist dir unmöglich, den Zeigestock ruhig zu führen. Plötzlich scheinst du nichts mehr zu wissen, der Kopf ist leer! Erwartungsvoll sind alle Augen auf dich gerichtet, die Stimme versagt und der Kloß im Hals löst einen Würgreflex aus. Wenn jetzt noch ein unbedeutender dummer Kommentar aus dem Publikum zu dir vordringt, läufst du rot an und nur noch ein Gedanke geht dir durch den Kopf: Wo ist der Ausgang?

Bevor du nun aber heulend hinterm Pult zusammensackst und dich auf allen vieren nach draußen rettest, etwas zur Beruhigung: Lampenfieber ist vollkommen normal und selbst berühmte Schauspieler leiden immer wieder darunter. Sie sagen aber auch, dass gerade diese Nervosität ihnen den gewissen »Kick« gibt, um besonders gut zu sein. Und sie haben Recht! Gerade dieser Adrenalinstoß ist es, der die Sinne schärft und sogar süchtig machen kann.

Nervosität ist ganz normal.

Denk dran:

Du bist tipptopp vorbereitet und dein Referat wird gut laufen! Wenn du nun doch noch wie gelähmt dastehst, so hilft zunächst ruhiges und tiefes Atmen. Versuche nach einem tiefen Atemzug 10 Sekunden die Luft anzuhalten oder zu gähnen – das entspannt absolut.

Als Nächstes wirf einen Blick auf dein Manuskript: Da du die Eröffnung (die ersten drei bis vier Sätze) ohnehin auswendig gelernt hast, brauchst du dir darüber keine Gedanken zu machen und du wirst schnell Tritt fassen und zum eigentlichen Thema übergehen können. Wenn du zu Beginn des Referates deinen Blick an ein oder zwei Personen heftest, die du magst, so werden sie dir über die Startschwierigkeiten hinweghelfen und von da an läuft die Sache fast von selbst. Wenn es dir gelingt in der kritischen Anfangsphase mit einem kleinen Scherz ein paar Lacher zu kassieren, hast du dein Lampenfieber schon überwunden und die Atmosphäre aufgelockert.

Nach den ersten Minuten läuft es meistens wie von selbst.

die kleinen tücken während des vortragens

Normalerweise läuft ein Referat, nachdem die ersten drei Minuten überwunden sind, so, wie du es die Tage zuvor auch zu Hause geübt hast. Du hast deinen Faden gefunden und je weiter du im Thema voranschreitest, desto sicherer wirst du. Zwischenfragen, wenn sie denn überhaupt auftauchen, sollten sofort beantwortet werden, denn meistens kannst du sie aus dem Zusammenhang heraus leicht klären.

Wenn jedoch Fragen gestellt werden, die ausführlicher beantwortet werden müssen, solltest du sie auf später vertagen. Dein Referat gerät sonst in Gefahr, durch diese Erklärung zerhackt zu werden, und deine ursprüngliche Planung gerät aus den Fugen. Die Zuhörer verlieren das Interesse und du eventuell den Überblick.

Lass dich von Fragen und Störungen nicht aus dem Konzept bringen. Solltest du durch eine Störung gezwungen sein, deinen Vortrag kurz zu unterbrechen, so setz ihn nicht an der Stelle fort, an der du abgebrochen hast, sondern etwas davor. Nur so können deine Zuhörer und du selbst wieder ins Thema finden.

Gleiches gilt auch, falls du selbst mal hängen geblieben bist! Das kommt schon mal vor, ist aber nicht weiter schlimm, ein Spruch wie etwa »Was rede ich da überhaupt?« oder »Hat das jetzt jemand verstanden? Ich nämlich nicht!« nimmt der Situation die Spannung und du kannst einen neuen Anlauf nehmen.

Was kann sonst noch Probleme machen? Richtig, da wären die Fragen des Lehrers im Anschluss!

hat noch jemand fragen dazu? was lehrer wissen wollen

Tatsächlich wissen es die meisten Lehrer zu schätzen, wenn du dich bereit erklärt hast, ihnen eine Stunde Arbeit abzunehmen, und dies dann auch noch recht ordentlich tust. Klar, dass nicht alles immer so war, wie sie es selbst gemacht hätten; deshalb können es sich die meisten Pädagogen nicht verkneifen, noch mal zusammenzufassen, anders zu formulieren oder zu ergänzen. Dass sie damit in den meisten Fällen nur für allgemeine Verwirrung und Unmut sorgen, merken sie selten.

Gefürchtet sind die dann häufig gestellten »Verständnisfragen«. Aber keine Sorge, die wenigsten Lehrer wollen dich reinreißen, sondern nur noch mal bestimmte Punkte genauer erklärt haben, was dir aber durch dein Hintergrundwissen keine Probleme machen dürfte. Wenn doch, so mach nicht den Fehler und fang an zu raten und zu schwafeln. Das Risiko, dass dein Lehrer auch Ahnung vom referierten Thema hat, ist zu groß. Es ist kein Zeichen von Schwäche, darauf zu verweisen, dass die Frage über das eigentliche Referatsthema hinausgeht und du (um nichts Falsches zu sagen) lieber noch mal zu Hause nachsehen willst, die Frage aber in der nächsten Stunde beantworten wirst. (Vorteil für dich, da du auch in der nächsten Stunde für eine Zeit im Mittelpunkt stehst und dein Wissen produzieren kannst.)

Du musst nicht alles wissen!

Damit hättest du es geschafft! Deine Mitschüler werden klatschen oder nach Hörsaalmanier auf die Tische klopfen und dein Lehrer wird dich loben. Nutze die Gelegenheit gleich, um zu fragen, wo er Schwachstellen inhaltlicher und auch formaler Natur entdeckt hat! Wahrscheinlich wird er (von 45 Minuten multimedialem Budenzauber überrannt) mit Nein antworten und somit hast du ihn

Noch kannst du die Note beeinflussen.

schon auf eine Punktzahl in den oberen Bewertungsrängen festgenagelt. Die Tatsache, dass er offensichtlich wunschlos glücklich war, kannst du dann als schlagendes Argument benutzen, wenn er nicht gleich mit der Höchstpunktzahl rausrücken will. Wenn doch Einwände kommen und sie für dich nicht ganz nachvollziehbar sind, diskutiere sofort darüber, denn noch steht keine Note fest. Die denken sich die Lehrer nämlich meist erst mit etwas Abstand zum Geschehen aus. Also auf dem Heimweg in der Bahn, nachmittags auf einer langweiligen Konferenz oder abends in der Kneipe. Bis dahin ist noch nichts entschieden, also versuche ihn möglichst vorher zu beeinflussen, wenn er noch im Banne deines Vortrages steht!

schummeln erlaubt – kleine tricks zum erfolg

Wie überall kann man auch beim Referat mit ein bisschen Show noch den einen oder anderen Pluspunkt sammeln:

- Sehr effektiv ist es, wenn du die Kopien zu deinem Referat ein oder zwei Stunden vorher an deine Mitschüler verteilst, damit diese sich auch schon vorbereiten können. Macht einen tollen Eindruck beim Lehrer, denn du bist ja offenbar bemüht, so viel Wissen wie möglich zu vermitteln. Für dich macht es aber keinen Unterschied, ob du diese Zettel vor deinem Referat ausgibst oder erst in der Referatsstunde selbst.

- Wo wir schon dabei sind, die Zuhörer für uns zu nutzen: Gib zwei oder drei Freunden in deiner Klasse je eine Frage zu deinem Thema (am besten eine, die auf Hintergrundwissen zurückgreift) und sag ihnen, an welcher Stelle sie diese stellen sollen. Du wirst sie nach einigem zögerlichen Nachdenken und dem Hinweis auf die Schwierigkeit des Problems perfekt und lückenlos beantworten – super!

● Einen tollen Eindruck macht es auch, wenn sich einige Freunde aus einem anderen Kurs oder Jahrgang bereit erklären, als Gasthörer zu fungieren. Zeigt es doch dem Lehrer, dass dein Referat über die Klasse hinaus für Interesse sorgt! Auch ein Lob für ihn! Und für dich ein paar vertraute Gesichter mehr und etwas Lampenfieber weniger!

Tricks in Hülle und Fülle, auch zum Thema Fragen, Reden, Auftreten, Gestaltung und Halten von Vorträgen findest du vielfach in Fachliteratur über Rhetorik. Sie zu lesen ist auf jeden Fall lohnenswert, nicht nur der Referate wegen, sondern auch der eigenen Sprachgewandtheit zuliebe. Wahre Fundgruben für dich können zusätzlich Vorträge und Debatten im Fernsehen, in Schule und Verein sein, die du kritisch begutachten solltest und für dich ausschlachten kannst. Beurteile jede Rede und Wortmeldung, die du hörst, merk dir gute Formulierungen oder witzige Eröffnungen!

Nachhilfe in Rhetorik gefällig?

Noch ein letzter abschließender Trick, der dir selbst den Eindruck deines Vortrages nachträglich vermittelt: Lass ein Diktiergerät mitlaufen und bitte einen Freund, Gestik und Haltung während deines Referates zu beurteilen! Die so gewonnenen Erkenntnisse sind kaum mit Gold aufzuwiegen und werden dich sehr schnell zu noch mehr Erfolg und Professionalität bringen.

Die Basis deines Erfolgs
- Lückenlose Themenkenntnis
- Sorgfältige Vorbereitung
- Übung, Übung, Übung

Manuskript
- Absprache mit dem Lehrer (Zeit, genauer Inhalt, Anschauungsmaterial, Folien, Kopien)
- Zeitplanung (5–8 Min. »Rüstzeit«, 10–15 Min. »Nachbereitung«, Rest = reine Vortragszeit)
- Anpassung an die reine Vortragszeit
- Übersichtskopie für die Mitschüler erstellen

Üben des Vortragens
- Hilfsmittel: Spiegel, Tonband, Stoppuhr, kritische Zuhörerschaft, Anschauungsmaterial ...
→ Schwachstellen aufdecken, Routine bekommen

Der Vortrag selbst
- Rechtzeitig Vorbereitungen im Raum treffen
- Kurze Zwischenfragen sofort stellen lassen
- Umfangreiche Fragen zurückstellen
- Bei Unterbrechungen kurz davor wieder einsetzen

Nach dem Vortrag
- Rückfragen überlegt und knapp beantworten
- Bei Unsicherheit lieber Antwort auf später verschieben
- Lehrer um konstruktive Kritik bitten, ggf. versuchen, ihn positiv zu beeinflussen
- Mitschüler um Kritik bitten

mission possible
mission possible

Das schriftliche Abitur

Vier (evtl. auch sechs) mehr oder weniger harte Halbjahre liegen hinter dir, wenn es ans Schriftliche geht. Aber bevor du dich auf deine Nach-Schulzeit freuen und dich gemütlich auf die faule Haut legen kannst, hat dir das Schicksal, genauer gesagt, das Schulsystem noch eine dicke Hürde in den Weg gelegt – die Abiturprüfungen.

Und die Vorbereitung auf Semester-Klausuren?

Fast alles, was wir hier an Tipps und Tricks für das schriftliche Abi zusammengestellt haben, gilt auch für die »normale« Klausur. Nur ist für sie der Aufwand natürlich qualitativ und quantitativ geringer, weil die Stofffülle und die Bedeutung der Note für dein Abiturzeugnis nicht so groß sind.

Dafür muss jetzt eine schier gigantisch erscheinende Stofffülle gelernt und beherrscht werden. Hast du in deiner nahen Vergangenheit nur höchstens den Lernstoff von zwei bis drei Monaten für eine Klausur lernen müssen, so gilt es nun das gesamte Oberstufenwissen im Abifach draufzuhaben. »Das schaffe ich doch nie«, sagen sich da viele und verfallen in Panik. Keine Frage – es steht viel auf dem Spiel. Schließlich setzt sich ja ein nicht geringer Teil der Endnote aus dem Ergebnis zusammen. Eine Bauchlandung hier schlägt übel zu Buche und das gilt es auf jeden Fall zu vermeiden. Kein Grund jedoch, angesichts der vor dir liegenden Aufgabe zu verzweifeln – es ist vollkommen normal, dass du Angst hast, nervös bist und im Hinblick auf das Abitur erst einmal gar nicht so genau weißt, wo dir der Kopf steht. Das war bei uns genauso und glaube uns – wenn du die Sache richtig anpackst und rechtzeitig aus den Startlöchern kommst, wird sich dein Abi-Stress sehr schnell legen.

Am Anfang sieht der Lernberg unüberwindlich aus.

Die Vorbereitungen jedoch erschweren sich viele unnötigerweise selbst. Zunächst hat kaum jemand den Überblick über das, was in den letzten zwei Jahren überhaupt so alles drangekommen ist. Die Hefte wurden weggeworfen, sind unvollständig oder unleserlich, Bücher scheinen unübersichtlich und für die Kürze der Zeit viel zu umfangreich. Fazit: Viel zu viel Zeit geht mit dem Zusammenstellen und Aufarbeiten des Lernstoffes drauf. Viel zu wenig Zeit steht dann zum eigentlichen Lernen zur Verfügung – und das Prüfungsergebnis fällt schließlich entsprechend mies aus. Aber so muss es nicht kommen.

Gerade in den Abiprüfungen liegt nämlich ein enormes Punktepotenzial. So lächerlich es angesichts des Riesenlernberges klingen mag: **So viele Punkte für so wenig Arbeit gab's noch nie!** Für ein paar Wochen Lernarbeit kriegst du hier zirka ein Drittel deiner Abinote auf den Tisch geblättert, wohingegen du für die übrigen zwei Drittel knapp zwei Jahre (also fast 90 Wochen!) ackern musstest. Setzt man das ins Verhältnis, so musst du für einen Abi-Prüfungspunkt bis zu 15-mal weniger arbeiten als für einen »normalen«. Oder motivierender formuliert: Jede Lernminute für das Abi bringt dir fast 15-mal mehr als in der Vergangenheit.

> **Im Schriftlichen kannst du so richtig Punkte scheffeln.**

Grund genug also, auf der Zielgeraden noch einmal richtig Feuer zu geben und nicht zu resignieren – das Abi ist Herausforderung und Chance zugleich. Wir werden dir verraten, wie du den Lernstoff fürs Abitur sammelst, einteilst, wie du lernen solltest und geben dir Tipps zur Prüfung.

be prepared – richtig vorbereiten

Die richtige Vorbereitung ist in erster Linie die rechtzeitige Vorbereitung. Es gilt: Je früher du anfängst, desto besser.

Zweitens bedeutet richtige Vorbereitung eine organisierte Vorbereitung. Konntest du früher schon bei Klausuren nicht einfach munter drauflos lernen, so musst du deine Abivorbereitungen erst recht knallhart durchplanen und managen. Damit steht und fällt dein Abitur! Es ist eine derart immense Flut an Wissen, das in den drei Fächern im Schriftlichen von dir parallel gelernt werden muss, dass Lernen nur strikt organisiert zum Erfolg führen kann. Andernfalls merkst du entweder drei Tage vor dem Abi, dass du hinten und vorne nicht fertig wirst, oder du treibst in der Vorbereitungszeit einen derartigen Arbeitsaufwand, dass du eine Woche vor der Prüfung in eine geschlossene Anstalt eingewiesen werden musst, weil man dich zusammenhangloses Zeug lallend in der Fußgängerzone aufgelesen hat – Grund: Arbeitsüberlastung.

Ohne gute Organisation keine guten Noten.

Deshalb von uns an dieser Stelle einige Punkte, über die du nachdenken kannst, um möglichst realistisch zu planen:

- Wie gut bin ich in den Prüfungsfächern mit dem relevanten Stoff vertraut?
- In welchen Fächern muss ich noch einiges nachholen, was ich im Halbjahr versäumt habe?
- Habe ich schon alle Hefte, Bücher, Lernhilfen, Mitschriften, die ich zum Lernen benötige, zusammen oder muss noch einiges besorgt werden? (Wenn ja, wie viel Zeit ist dafür nötig?)
- Kann ich sofort mit dem Lernen beginnen oder müssen noch Lernzettel/Karteikarten angefertigt oder gar ganze Hefte in leserliche Schrift übertragen werden?
- Auf welchen Zeitraum kann das Lernpensum verteilt werden? (Muss ich neben dem täglichen Unterricht lernen oder stehen dafür z.B. die Osterferien zur Verfügung?)

*Wie viel Zeit sich jeder für seine persönliche Vorbereitung auf das schriftlich Abi nimmt, ist sicherlich so unterschiedlich wie die einzelnen Schüler selbst. Was also dein individuelles Lernen betrifft, so kannst **nur du selbst** beurteilen, wie es ablaufen muss, um dich ohne Zeitdruck durch den Lernstoff zum Erfolg zu bringen.*

Daraus folgt:

- Wie viele Stunden pro Tag kann/will ich für das Lernen aufwenden? (Plane immer auch Pausen und Freizeit mit ein!)
- Wie diszipliniert werde ich den Plan einhalten können?
- Denke auch an Tage, an denen etwas Wichtiges dazwischenkommen kann oder du in »Null-Bock«-Laune nicht zum Pauken zu motivieren bist! So etwas kommt immer mal vor, ist aber absolut okay, wenn deine Planung nicht zu knapp ist.
- Möchte ich in bestimmten Fächern mit Freunden zusammen lernen? Wenn ja, ggf. die Zeitplanung mit ihnen abstimmen!

Ziel all dieser Überlegungen ist es, möglichst realistisch zu ermitteln, wie viel Zeit du insgesamt für die gesamte Vorbereitung brauchst.

Wenn dies einigermaßen genau feststeht, notiere Tag für Tag in einem übersichtlichen Kalender, was gelernt werden soll. So schlägst du zwei Fliegen mit einer Klappe: Auf der einen Seite kannst du durch Abhaken der »erledigten« Tage ganz gut dein Vorankommen überblicken, was mitunter recht motivierend sein kann; auf der anderen Seite erkennst du schnell, wenn du im Zeitplan hinterherhängst. Denk dran, die beste Zeitplanung taugt nur dann etwas, wenn sie einerseits realistisch ist und du dich andererseits auch wirklich bemühst, sie einzuhalten.

know how – wissen, was dich erwartet

Um in der Kürze der Zeit effektiv zu lernen, ist es unerlässlich, möglichst eng abzugrenzen, welche Themen in Frage kommen und wo die Schwerpunkte liegen werden. Bittet also als Kurs euren Lehrer, eine gezielte Vorbereitungsstunde für den Abiprüfungsstoff zu halten. In dieser sollte er mit euch über die Themen sprechen, die möglicherweise im Abitur drankommen, und im Idealfalle einige Themenfelder aus den zurückliegenden Halbjahren herausgreifen. So kannst du dich gezielter vorbereiten und musst nicht den gesamten Prüfungsstoff durchkauen. Aber auch wenn dein Lehrer dir keine genauen Hinweise gibt, kannst du bei der Rückschau zumindest nachkontrollieren, ob dir irgendein Thema in der Vergangenheit durch die Lappen gegangen ist. Bittet euren Lehrer auch, eine Abiklausur der letzten Jahre auszugeben, sodass du ungefähr weißt, was dich auch erwarten könnte. So kannst du Umfang und Schwierigkeitsgrad besser einschätzen, das macht die vermeintlich unbekannte Gefahr besser kalkulierbar und nimmt dir eine Menge Angst.

Zapfe deine Lehrer für Infos an.

Für die meisten Prüfungsfächer gibt es auch anschauliche Lernhilfen im Buchhandel, die entweder in Heft- oder Buchform, aber auch auf CD-Rom nicht nur das mitunter dröge Büffeln fürs Abi etwas aufheitern, sondern auch von Übungsaufgaben zu einzelnen Themen bis zu kompletten Abituraufgaben eine Menge bereithalten.

Lernhilfen zum Abitur

Tipp
Genau hinschauen, was du dir dort kaufst! Denn es gibt einiges, was nur bunt und ansonsten sein Geld nicht wert ist. Wenn du allerdings auf Empfehlung von Freunden oder Fachzeitschriften etwas wirklich Gutes (egal ob nun Literatur oder CD) gefunden hast – nutze es! Es lockert das Lernen wirklich auf und bringt dich weiter. Außerdem kann es nicht schaden, auch schon einmal während des Halbjahres einen Blick hinein zu riskieren, schließlich lässt sich damit auch die eine oder andere Klausur vorbereiten.

der schnelle start zum erfolg – die essentials im griff

Gerade, wenn die meisten deiner Mitschüler wild und wahllos mit dem Zusammentragen des Lernstoffes befasst sind, ist es für dich wichtig, die erforderlichen Inhalte schnell und vollständig auf dem Tisch zu haben. Unser Geheimrezept dazu: deine Memos! »Was um Gottes willen ist denn das?«, wirst du fragen. Ganz einfach: Die Memos kannst du mit relativ wenig Zeitaufwand über die Jahre erstellen und damit einen großen Teil deiner Abiprobleme abschütteln. Nach jedem Halbjahr oder auch direkt nach einer Klausur wählst du einen Teil deiner Klausurvorbereitungen aus und heftest sie einfach nur gesondert ab.
Du bereitest also schon in der 12. dein Abitur vor, wenn es auch noch wenig Arbeit mit sich bringt. Dies mag dir zunächst nicht einleuchten, da dein Abi ja noch in weiter Ferne zu liegen scheint, aber du wirst dieses »Archiv« sehr zu schätzen wissen, wenn du einen Monat vor der Prüfung

für drei Fächer lernen musst und schier in Arbeit ersäufst. **Lege dir** So sammelt sich über die Halbjahre nach und nach dein gesamter Abistoff aus den verschiedenen Fächern und den Klausuren dort an. Während manch anderer also drei Wochen vor der Prüfung anfängt, kostbare Zeit damit zu verschwenden, wie wild die alten Hefte von Klassenkameraden zusammenzukopieren, Bücher zu wälzen und dann noch tagelang aus dem ganzen Kram das Wichtige unter dem Unwichtigen herauszupflücken, greifst du nur in deinen Schrank, hast in einer Minute alles Wichtige für deine drei Fächer auf dem Schreibtisch und kannst dein Wissen sofort aktivieren – ein ausgezeichneter Start, richtig?

Lege dir schon im Voraus ein Archiv mit dem wichtigsten Stoff an.

Folgendes kann aus deinen Klausurvorbereitungen im Abi weiterhelfen:
- Alle Lernzettel, mit denen du deine Klausuren vorbereitet hast
- Bei Naturwissenschaften: wichtige Regeln, Definitionen, Formeln, Herleitungen, Beispielaufgaben etc.
- In Sprachen: wichtige Vokabeln, Grammatikregeln, Interpretationen etc.
- In Geschichte und Gemeinschaftskunde: grundlegende historische Strukturen und Entwicklungen, die wichtigsten Jahreszahlen etc.
- Sämtliche Klausuren mit Verbesserungen
- Hinweise des Lehrers zum Abi, Literaturhinweise etc.

Meist kannst du selbst das Wichtige vom Unwichtigen trennen, sodass wir hier nur beispielhaft einiges aufgeführt haben. So würdest du z.B. in Physik für einen Themenbereich die wichtigen Gleichungen mit jeweils ein bis zwei Beispielaufgaben für dein Archiv abheften, die 50 anderen (Haus-)Aufgaben zu diesem Thema brauchst du dann nicht mehr. In Geschichte würdest du beispielsweise die historischen Hintergründe und den Ablauf der Französischen Revolution herausnehmen, die 10 Texte, die ihr dazu besprochen habt, jedoch nicht ablegen. Vergleiche den Inhalt der Memos vor dem Abi noch mit dem einen oder anderen Klassenkameraden im jeweiligen Fach, damit du mögliche Defizite rechtzeitig erkennst. Markiere Bereiche, die vom Lehrer direkt oder indirekt als abiturrelevant bezeichnet werden.

Das Erstellen der Memos erfordert nicht sehr viel Zeit – mach es also richtig. Es hilft dir nichts, wenn du vor dem Abi einige ranzige, halbherzig zusammengeworfene Blätter, teilweise unleserlich und missverständlich, aus dem Ordner kratzt und damit deine Vorbereitungen bestreitest. Dein System muss ordentlich und sorgfältig angelegt werden, sonst solltest du die Zeit dafür besser mit Kickboardfahren, Moorhuhnschießen oder Wasserpolo verbringen.

Frage deine Lehrer nach Buchtipps. Neben deinen Memos können insbesondere in den Naturwissenschaften das Lehrbuch, mit dem ihr im Unterricht gearbeitet habt, oder Abilernhilfen (in Form von Heften oder CD-ROMs) eine gute Hilfe und Ergänzung sein. Möglicherweise empfiehlt dir dein Lehrer auch einige andere Bücher, mit denen du dich vorbereiten kannst. Für Sprachen oder Deutsch, wo normalerweise mindestens eine Abiaufgabe ein literarisches Werk zum Gegenstand hat (*Hamlet*, *Faust*, etc.), eignen sich auch Interpretationen sehr gut zur Vorbereitung.

> **Tipp**
> Seit neuestem bietet auch die Learncommunity Learnetix unter der Adresse www.learnetix.de spezielle Hilfe im Internet für alle Abigestressten an.

gut getimt ist halb gewonnen – den stoff einteilen

So – mit deinem Lernstoff bewaffnet, hast du nun den prüfungsrelevanten Stoff in zweifelhafter Pracht und Schönheit vor dir liegen. Hier lässt sich zwar schon ziemlich genau absehen, wie umfangreich deine Vorbereitungen wohl werden, fang jetzt aber trotzdem nicht an, dich wie verrückt ins Lernen zu stürzen, sondern schließ erst die letzte Vorbereitungsphase ab und teile den Stoff ein.

Du weißt, wie viele Tage bzw. Wochen du zur Verfügung hast, und kennst das Volumen deines Lernstoffes. Fang nun an, diesen Stoff auf die einzelnen Tage zu verteilen.

Denk auf jeden Fall an die Erstellung deines Lernkalenders und die vielen Vorteile, die damit verbunden sind: Zunächst lernst du entspannter und in kleinen Schritten; der Stoff lässt sich besser behalten und du lernst somit effektiver. Darüber hinaus macht das Lernen mehr Spaß, wenn du jeden Tag drei bis fünf Stunden arbeitest, als wenn du regelmäßig 12-Stunden-Schichten schrubben musst, weil du die ersten Tage noch mal so richtig abgeravet hast.

Verteile den Stoff auf einzelne Tagesrationen.

Veranschlage für jeden Tag einen Lernaufwand von fünf bis sieben Stunden (sofern du in den Ferien einen ganzen Tag zum Lernen verplanen kannst). Wenn du während der regulären Schulzeit schon mit dem Lernen fürs Abi beginnen musst, sollten (bei Reduzierung der täglichen Schularbeiten auf ein absolutes Minimum) zwei bis drei Stunden genügen.

Wichtig ist, dass du die Fächer nicht nebeneinander lernst, sondern nacheinander aufbaust. Du vergisst schnell und kommst durcheinander, wenn du zwischen Quantenmechanik (morgens), Zen-Buddhismus (nachmittags) und *Den Leiden des jungen Werther* (abends) hin und her springen musst. Also besser eines nach dem anderen.

Mit welchem Fach aber fängst du an? Hier gibt es kein Patentrezept, aber folgende Kriterien können eine Rolle spielen:

- Schwere Fächer zuerst – es motiviert, das Schwierige schon hinter sich zu haben, und es demotiviert, drei Wochen lang in wabernder Angst vor der letzten Woche Physik durch den Tag zu kriechen
- Fächer, in denen der Zeitaufwand weniger gut abzuschätzen ist oder möglicherweise sogar böse Überraschungen und Unwägbarkeiten drohen, zuerst – je mehr Zeit du noch hast, desto flexibler kannst du reagieren und Mehraufwand abfedern
- Fächer, die du nicht gut kannst, vor denen du Angst hast, zuerst – du neigst normalerweise dazu, solche Lernarbeit nach hinten zu schieben, es gilt aber: erledigt ist erledigt. (Außerdem erzeugt es unnötigen Stress, wenn du weißt, dass die »ganz harten Brocken« auf dich noch warten – und unnötigen Stress gilt es unbedingt zu vermeiden!)
- Das Fach, das am ersten Prüfungstag drankommt, wenn möglich zuletzt lernen, dann ist das Wissen am frischesten, für die darauf folgenden Fächer muss es dann sowieso aufgefrischt werden
- Sollte zwischen deinen Prüfungstagen kein Wochenende liegen (was eher selten ist), so berücksichtige dies in deiner Planung – an einem einzigen Nachmittag den umfangreichen Physikstoff von vor zwei Wochen aufzufrischen wird hart

In sich geschlossene Themenblöcke am Stück lernen! Die Stoffmenge sollte fordernd sein, dich jedoch nicht überfordern, da es frustrierend ist, wenn du schon am zweiten Tag deinem Lernplan hinterherhechelst, nur weil du vor lauter Ehrgeiz die gesamte Wellenlehre an einem Nachmittag durchprügeln wolltest. Lerne nicht nach Stunden und mit der Stechuhr, sondern versuche, immer relativ abgeschlossene Themenblöcke auf einmal zu erfassen und nicht mitten im Zusammenhang aufzuhören, sonst hast du am nächsten Tag den Faden verloren. Ein geschlossener Themenblock bleibt dir auch besser im Gedächtnis als ein Wirrnis zusammenhangloser Fakten → Arbeitsersparnis!

Tipp

Sinnvoll ist es, am Anfang des Lerntages das bereits Gelernte noch einmal kurz zu wiederholen, so lässt es sich länger und besser merken. Das bedeutet, dass mit fortschreitender Lerndauer der Anteil an neu Hinzugelerntem pro Lerntag sinkt und immer mehr wiederholt wird. Plane auch dies zeitlich ein. Der letzte Lerntag sollte ausschließlich der Wiederholung und einigen Übungsaufgaben vorbehalten bleiben.

Wenn du während der Halbjahre einigermaßen den Überblick über den Unterrichtsstoff behalten hast, dürften Zusammenstellung des Lernstoffes und Planung deiner Vorbereitung relativ schnell beendet sein. Das Ergebnis all deines Tuns ist dann ein Stapel übersichtlicher Memos oder Hefte der jeweiligen Fächer und ein durchgeplanter Lernkalender.

Wenn du diese Tipps beherzigst, bist du mit einem realistischen Zeitplan, der die nötigen Freiräume zur Entspannung lässt, effektives Lernen mit Erfolg ermöglicht und dir somit eine Menge Stress und Zeit spart, schon auf der Gewinnerstraße.

auf zum endspurt – lernen, lernen, lernen

Jetzt gilt es, dein Tagespensum abzuarbeiten. Du meinst, das ist dröge und langweilig? Genau, ist es auch. Normalerweise – muss es aber nicht sein. Hier einige Tipps, um das Lernen effektiv und so angenehm wie möglich zu machen.

Zur Lernmethode:

Welche Sorte »Lerntyp« bist du?

Die für den Einzelnen richtige Lernmethode ist von Schüler zu Schüler so unterschiedlich, dass ein genaues Eingehen auf diese Thematik ein eigenes Buch füllen würde. Mindestens. Im Laufe deiner Schulzeit jedoch hast du wahrscheinlich schon in Erfahrung gebracht, ob du eher mit Karteikarten, in einer Lerngruppe, mit Lernzetteln, Kassetten, CD-ROMs durch Abgehörtwerden oder sonst irgendwie lernst. Diese für dich geeignete Lernmethode wendest du dann auch auf die Abivorbereitung an.

So funktioniert das Lernkartensystem.

Wir haben sehr positive Erfahrungen mit dem Lernkartensystem gemacht. Du besorgst dir einfach einen Packen farbiger, unbeschriebener DIN-A5-Karten (für jedes Fach andere Farbe). Den relevanten Lernstoff zerteilst du nun in einzelne Sinnabschnitte. Für jeden Sinnabschnitt reservierst du eine oder auch mehrere Karten, auf denen du in Stichworten und übersichtlich alles Wichtige dazu notierst. Sinnvoll ist es, sich auch eine »Inhaltsverzeichnis-Karte« zu machen und die Lernkarten durchzunummerieren.

Dieses Lernkarten-System hat folgende Vorteile:

- Bekanntes kannst du aussortieren, während du als »Heftlerner« entweder Bekanntes unnötigerweise noch einmal liest oder überflüssigerweise nach Unbekanntem suchen musst.
- Es steigert die Motivation, den Kartenstapel kleiner und kleiner werden zu sehen, während du andererseits

beim Heftlernen immer im Unklaren darüber bist, wie viel du tatsächlich kannst.

- Durch das Erstellen der Lernkarten bist du gezwungen, den Stoff konzentriert aufzuschreiben und dich intensiv mit seiner Struktur zu beschäftigen (Einteilen in Sinnabschnitte). Das heißt, dass du schon recht sattelfest bist, wenn du mit dem eigentlichen Auswendiglernen anfängst und im Wesentlichen Bekanntes wiederholst.

- Du kannst einen kleinen Packen Lernkarten überallhin mitnehmen, was mit dem labberigen DIN-A4-Heft oder gar den dicken Chemieschinken nicht so einfach geht.

- Bei Unglücken des Alltags (Kaffeetasse darüber geschüttet, Verlust, voll geregnet ...) sind Lernkarten erheblich leichter zu ersetzen als dein Heft.

- Gerade zum Auffrischen des Gelernten unmittelbar vor der Prüfung kannst du sehr gezielt vorgehen – erst das Schwierige, dann das Einfachere

- Das Lernen mit Freunden ist einfacher und effektiver möglich, da gegenseitiges Abhören beiden etwas bringt und man sich nicht so leicht gegenseitig ablenkt.

Mach mit drei oder vier kompetenten Freunden eine **Lerngruppe** auf (am besten gleiches Fach, gleicher Lehrer). Stimmt euer gesammeltes Material ab und trefft euch regelmäßig (mindestens zweimal die Woche) um gemeinsam zu lernen, die Zeitplanung zu überprüfen oder aufgetretene Fragen zu klären. So bist du sicherer, was deine Vorbereitung angeht, denn deine Freunde haben möglicherweise Hinweise auf Abithemen mitbekommen, die dir entgangen sind, und deine Kollegen werfen vielleicht Fragen auf, die dir erst beim Durchlesen der Abiaufgabe gekommen wären.

Mehr Motivation und gute Tipps von Freunden.

Ferner motiviert ihr euch gegenseitig und der eine zieht den anderen. Hierbei musst du jedoch darauf achten, dass es Bereiche gibt, die sich von Anfang an zum gemeinsamen Lernen eignen (Vokabeln oder Lernkarten abhören, Übungsaufgaben, Wiederholen etc.), während Lernbereiche, die konzentriertes Arbeiten und Stille erfordern, zunächst von jedem einzeln verstanden und erfasst werden sollten, um sie dann gemeinsam zu wiederholen.

Gerade bei schwierigen Themen spielt für die Effektivität des Lernens auch das Lernumfeld eine große Rolle – wichtig ist, dass du Ruhe hast. Wenn du den Versuch unternimmst, die Kernspaltung zu lernen, während deine Schwester im Nebenzimmer mit ihrer Trompetencombo übt, deine Eltern sich kreischend mit Porzellan bewerfen, während vorm Haus die Straße vom Tiefbauamt saniert wird, könnte dies das Lernen unnötig erschweren. Helligkeit und ausreichend Getränke und Snacks (Schokolade, Kekse ...) sowie eine Uhr sind ebenso vonnöten.

Tipp

Beim Lernen nimmst du dir immer wieder deinen Kalender mit deiner Lern-Checkliste vor. Bereits Erledigtes wird abgehakt. Es ist übersichtlich und treibt dich an, wenn du siehst, wie du dich weiter und weiter auf deinem Lernkalender »nach vorne hakst«.

So dürfte Stress erst gar nicht aufkommen. Falls doch – hier noch ein paar **Stresskiller**:

- Sorge jeden Tag für ein kleines Erfolgserlebnis, indem du beispielsweise die Checklisten-Abhak-Strategie anwendest oder dir ausrechnest, um wie viele Seiten du dich heute wieder nach vorne geschoben hast – sichtbarer Erfolg ist der beste Stresskiller.
- Du hast dir das gesamte Lehrmaterial in kleine Häppchen geteilt – wenn du dich also vom Gesamtstoff er-

schlagen fühlst, so richte deinen Blick darauf, dass du nur deine »Tageshäppchen« ablernen musst und damit sogar den meisten anderen ein gutes Stück voraus bist.

● Eine gewisse Restnervosität ist bei einem so großen Projekt normal und auch hilfreich – so behältst du die erforderliche Lerndisziplin.

● Bring Abwechslung in den Lernstoff – morgens Englischvokabeln lernen, mittags zwei Kapitel *Death of a Salesman* und abends mit deinen Freundinnen ein paar Lückentexte aus dem Lehrbuch ausfüllen, Vokabeln wiederholen und problematische Grammatiklektionen durchnehmen – das ist besser als ein stures »Zwei-Tage-dies-zwei-Tage-das-zwei-Tage-jenes«-Lernkonzept.

frust statt lust – im motivationstief

Von Zeit zu Zeit helfen aber auch die besten Stresskiller nichts! Da erlebst du dann Tage, an denen du nur eines möchtest: die Bettdecke morgens gleich wieder über den Kopf ziehen und nichts mehr vom Rest der Welt und schon gar nichts vom leidigen Lernen wissen!

An solchen Tagen ist einem einfach alles zu viel, der Lernstoff ein nicht zu bewältigender Berg und auch ansonsten heißt es »Null Bock auf nichts«.

Don't panic! So was gibt's immer mal und zwar besonders dann, wenn Körper und Kopf sich eine Auszeit vom Lernen nehmen müssen. Bei dem einen kommt das nur alle halbe Jahr vor, während der andere jeden dritten Tag mal verschnaufen muss.

Lernpausen müssen sein!

Nach über 10 Schuljahren wirst du wahrscheinlich schon ganz gut wissen, wie viel Auszeit du für dich benötigst, und kannst dies schon bei deiner Lernplanung berücksichtigen.

Tipp
Gönne Körper und Geist an solchen Tagen die nötigen Pausen und lege einen Tag zum Relaxen, Sporttreiben, Ausschlafen, Freundetreffen und einfach allem ein, was nicht mit Schule zu tun hat, möglichst weit von deinem Schreibtisch entfernt stattfindet und dir Spaß macht.

power auf dauer – die richtige tagesplanung

Gerade in der Vorbereitung zum Abi ist die richtige Zeitplanung der wichtigste Faktor, der über Sieg oder Niederlage entscheidet. Und Zeitplanung heißt mehr, als sich morgens hinzusetzen und bis abends um neun den Stoff zu büffeln. Es gilt, seinen Tages- und Wochenrhythmus so zu managen, dass du …

❶ täglich mit voller Power lernen kannst und zu jeder Lernminute maximale Lernleistung erbringen kannst

❷ möglichst täglich über den Zeitraum von mehreren Wochen konstante Leistung erbringst und nicht nach 14 Tagen durchhängst – gerade in der konstanten Lernleistung über einen langen Zeitraum liegt die große Herausforderung des Abiturs!

❸ auf Überraschungen und Unwägbarkeiten flexibel und mit dem nötigen Zeitpolster reagieren kannst

❹ mit der Sicherheit lernst, zu jedem Zeitpunkt im Lernplan zu sein und dieser trotz Überraschungen und Unwägbarkeiten realistisch ist und den Anforderungen genügt

Nur so erzielst du optimale Lernergebnisse. **Das heißt für dich konkret in Sachen Tagesplanung & Co.:**

- Mach dir für jeden Tag zusätzlich zu deinem Lernplan einen Tagesplan (z.B. eine DIN-A4-Seite) mit Stundenskala, wo du akribisch genau jede Aktivität, Besorgung und jeden Termin einträgst – mach diese Tageszettel für eine Woche im Voraus.

- Lerne nicht über zu lange Zeit – deine Aufnahmefähigkeit sinkt dann zu stark, was dir aber nicht unbedingt bewusst wird. Nach unserer Auffassung solltest du nach 45 Lernminuten eine Pause von 15 Minuten machen.

- Lerne in Blöcken und nicht von 9–16 Uhr unterbrochen. Drei Blöcke à zwei Stunden (Gewichtung: 45 min. Lernen : 15 min. Pause) sind ideal.

- Lege die Lernblöcke so, dass du deine persönlichen »Leistungshochs« abpasst – also beispielsweise nicht allzu früh morgens, nach dem Mittagessen oder spät abends. 9–11 Uhr, 14–16 Uhr und 17–19 Uhr sind für viele ideale Termine; solltest du aber gerade morgens oder spät abends bzw. nachts besonders fit sein, so lerne schwerpunktmäßig in diesen Zeiten, auch wenn es deinen Eltern nicht passt.

- Halte einen regelmäßigen Tagesablauf ein, durch den so eintretenden Gewöhnungseffekt lernst du effektiver und stressfreier – deine sonstigen Aktivitäten müssen sich an den Lernzeiten orientieren und nicht umgekehrt.

- In Sachen Ernährung solltest du tagsüber schwere Gerichte, die lange im Magen liegen, alkoholische Getränke, Koks & Co., aber auch Diäten oder Hungerkuren meiden und auf leichte, vitamin- und ballaststoffreiche Kost setzen.

- Denke an ausreichend Schlaf – Müdigkeit setzt die Lernfähigkeit enorm herab.

- Sorge zwischen den Paukzeiten für körperlichen Ausgleich zur sitzenden Lerntätigkeit. Schlecht sind Fernsehen, Lesen oder Halma; gut eignen sich Joggen, Spazierengehen, Treffen mit Freunden, Einkaufen, Outdoor-Sex oder andere mit Bewegung verbundene Aktivitäten (am besten draußen). Täglich mindestens eine körperlich anspruchsvolle Ausgleichstätigkeit, sonst wirst du nach einer Woche zum nervösen, schlaflosen und Fingernägel kauenden Zappelphillip.

- Sorge während der Lernzeiten für absolute Ruhe und erkläre dein Zimmer zum verminten Quarantänegebiet – gerade nervigen Müttern und kleineren Geschwistern gegenüber ist hier mitunter ein etwas lautstärkerer und nachhaltigerer Hinweis vonnöten. Störung nur in absoluten Notfällen und nicht zum Müllraustragen, Tratschen oder aus Langeweile. Stell das Telefon ab.

- Verletzungen oder Erkältungen sind gefährlich, da sie dich aus dem Zeitplan werfen und die Lernfähigkeit herabsetzen – verletzungsträchtige Sportarten (Fußball, Karate, Boxen, S-Bahn-Surfen) oder andere nur bedingt gesundheitsfördernde Zeitverteibe (ausschweifende Kneipentouren oder Discobesuche, Krankenbesuche bei ansteckungsträchtigen Freunden oder Verwandten, Schlägereien, Duelle) möglichst meiden.

- Mach jeden zweiten oder dritten Tag einen Zeitplan-Check – überprüfe, ob du im Plan bist, ob vielleicht Probleme aufgetaucht sind und eine Änderung des Plans erfordern, ob du alle Aktivitäten auch wirklich eingetragen hast.

- Überraschende Zusatzarbeit (übersehenes Lernthema oder Problem, Omas goldene Hochzeit, Auto muss in die Werkstatt oder zum TÜV ....) muss sofort und nicht erst morgen in deiner Tages- und Lernplanung berücksichtigt werden, auch wenn es sich um scheinbar Unbedeutendes handelt. Es gilt: Kleinvieh macht auch Mist – und den können wir gerade bei der Abivorbereitung nicht gebrauchen!

Denke bei deiner Zeitplanung daran, dass ein Wochenende nicht volle 48 Stunden hat! Schließlich schläfst du, gehst vielleicht weg, weil dir die Decke auf den Kopf fällt, oder lässt dich doch noch von einer Freundin überreden, am Nachmittag schwimmen zu gehen. Du kennst dich selbst am besten und weißt, wie diszipliniert du bist bzw. wie leicht du dich verführen lässt, doch noch mal eben eine Runde um die Häuser zu ziehen. Sei also mit den Vorbereitungszeiten dir gegenüber ehrlich und kritisch und rechne genug Puffer ein.

lass dich nicht verrückt machen – nervosität ist normal

Mit jedem Tag, den der Prüfungstag näher rückt, steigt auch der Adrenalinspiegel der Prüfungskandidaten – so weit, so gut und auch ganz normal. Doch während der eine dies relativ gelassen wegsteckt, jagt ein anderer wie ein aufgescheuchtes Huhn durch die Landschaft, geplagt von Schlafstörungen, mit Ringen unter den Augen, einer gestörten Verdauung und schweißtriefenden Händen.

Zum Thema Stressbewältigung in Prüfungssituationen sind ganze Bücher geschrieben worden und wer wirklich zu der extrem nervösen Sorte Schüler gehört, die innerlich den Prüfungstag mit der eigenen Hinrichtung gleichsetzt und somit kaum noch zum Lernen kommt, dem sei diese Literatur empfohlen. Autogenes Training zum Beispiel eignet sich hervorragend, um Nervosität in den Griff zu be-

Extrem nervös? Frühzeitig etwas dagegen unternehmen!

kommen. Nur funktioniert dies nicht von jetzt auf gleich, sondern bedarf einiger Übung und Anleitung, die du auch aus den entsprechenden Büchern leicht lernen kannst.

Für alle Gelegenheitsnervösen, die die letzten Tage vor der Prüfung die ein oder andere unruhige Nacht haben und sich auch sonst nicht so behaglich fühlen: Auch das gehört mit zum Abi und es wäre unnatürlich, wenn dies bei dir nicht so wäre! Doch wichtig ist ein erholsamer Schlaf schon; schließlich hängt von ihm entscheidend ab, was du den Tag über so an deinem Schreibtisch zu Rande bringst.

Schlechter Schlaf = langsameres Lerntempo **Deshalb:** Ein Spaziergang vor dem Schlafen, ein warmes Bad oder das traditionelle Glas heiße Milch mit Honig haben schon Oma und Opa seinerzeit in den verdienten Schaf geholfen. Überhaupt: Regelmäßige Bewegung, leichte Mahlzeiten am Abend und einigermaßen regelmäßige Schlafenszeiten sind das Fundament erholsamen Schlummers.

Sollte das nichts helfen, kannst du es auch mal mit Baldrian und Hopfenkapseln oder auch Johanniskraut-Dragees probieren, die auf pflanzliche Weise beruhigend und relaxend wirken. Der Apotheker deines Vertrauens berät dich sicher.

Auch gegen ein (!) Gläschen Bier oder Wein am Abend ist nichts einzuwenden. **Am beruhigendsten jedoch ist immer: zu wissen, dass man gut in der Zeit liegt und bis zur Prüfung den Stoff beherrschen wird!**

sie sind nicht alle gleich – vom richtigen umgang mit lehrertypen

Was die Abiprüfungen in Bezug auf die verschiedenen Lehrertypen angeht, denen man als Schüler so begegnet, so haben wir fünf Kategorien aufgestellt, die dir ein Anhaltspunkt dafür sein können, was dich im schriftlichen Abi

erwartet. Schließlich ist die Benotung meist nicht so unbe-
stechlich, wie viele Pädagogen das gerne meinen. Wenn
du dir also im Vorfeld überlegst, wer deine Abiklausur be-
noten wird, kannst du das geschickt für dich ausnutzen.
Unsere Lehrertypen sind natürlich Karikaturen, aber du
wirst sicher viele ihrer Grundzüge an deinen realen Prüfern
wieder finden.

**Die Note
hängt auch
vom Prüfer
ab.**

der samariter

Ein diskussionsfreudiger, netter und milde benotender
Spät-68er vom Typ: »Du, lass uns mal darüber reden, du!«

Seine Abiklausur:

- Keine fiesen Tricks und eher leicht, freundliche Benotung
- Milde Korrektur
- Fragen zu Abiturthemen im Vorfeld sind aussichtsreich
- Einbringen von aktuellem Tagesgeschehen bringt gute
  Punkte – in den Tagen vorher ruhig einen Blick in die
  Zeitung riskieren

der schnarchsack

Ein unmotiviertes, kurz vor der Pensionierung stehendes
Schulfossil, nach dem Motto: »Lass du mir meine Ruh,
lass ich dir deine Ruh!«

Seine Abiklausur:

- Garantiert keine Überraschungen (teilweise alte Aufga-
  ben in leicht abgewandelter Form)
- Unbedingt alte Klausuren ansehen und ehemalige
  Schüler nach deren Abiturthemen befragen

der scharfschütze

Ein Aussieber vom alten Schlag; Ordnung, Fleiß und Diszi-
plin stehen ganz oben für ihn. Schüler sind für ihn mehr

oder weniger begabte Leistungserbringer, die den nötigen Schliff brauchen.

Seine Abiklausur:
- Hart, aber am Unterricht orientiert, Vorbereitung ist alles; selten hinterhältige Fallen
- Wird sehr genau benotet, nur die rein fachliche Leistung zählt
- Hilfe vor der Klausur zu erbitten hat nahezu keinen Sinn
- Unwissenschaftliche Labereien führen zu Punktabzug

die schlange

Hinterhältig und vom Leben enttäuscht, oft vom Gefühl der Minderwertigkeit geplagt.

Ihre Abiklausur:
- Schwer abzuschätzen, unberechenbar und voller Fallen, Aufgabenstellung deshalb genau und besser dreimal lesen
- Teilweise willkürliche Themenwahl
- Hilfestellung vor der Klausur möglich, wenn die Schlange sich in »Gönnerlaune« befindet und wenn du einen ausgelieferten, überforderten Eindruck machst
- Mitunter willkürliche Benotung

der gute freund

Typ »Hart, aber herzlich« mit interessantem, aber anspruchsvollem Unterricht, fair in jeder Hinsicht und mit offenem Ohr für seine Schüler.

Seine Abiklausur:
- Fair und ohne böse Überraschungen, er will sehen, was du weißt, nicht, was du nicht weißt!
- Tipps im Vorfeld sind eher selten von ihm zu bekommen

das finale – die abiprüfung meistern

Achtung: Falle

Komme nie, aber auch wirklich niemals, auf die wahnwitzige und vollkommen schwachsinnige Idee, bei der Abiprüfung zu spicken. Bei jeder normalen Klausur kommst du mit Spicken vielleicht durch; im Abitur aber wird scharf kontrolliert und die Wahrscheinlichkeit, dass du erwischt wirst, ist ausgesprochen groß. Das Gleiche gilt für Abgucken. Bloß nicht! Finger weg!

Aber starten wir am Anfang des großen Prüfungstages: Lass den Tag stressfrei angehen. Gönne dir ein fürstliches Frühstück, lass dich in die Schule fahren, rechne für das Hinkommen mehr Zeit als sonst ein (nichts macht mehr Stress als Zuspätkommen!), pack für die lange Klausurenzeit etwas Proviant ein (Süßigkeiten, Obst, Traubenzucker, Müsliriegel, Saft etc.), Kaffee eher vermeiden; der ist Harn treibend und mehr als zweimal lässt dich dein Prüfer bestimmt nicht auf die Toilette, da er einen Täuschungsversuch vermutet. Nimm eine Uhr mit, um die dir verbleibende Zeit abschätzen zu können.

Wenn es losgeht und du die Aufgabenstellung bekommst, dann fang nicht an, den Traubenzucker in dich hineinzuschaufeln, nach dem Füller zu grapschen und wie ein Geistesgestörter loszuschreiben. Erste Devise: Cool bleiben. So cool es eben geht. Klar bist du nervös. Aber denk dran: Das, was von dir verlangt wird, ist etwas, das du wissen kannst. Sonst stünde die Frage so nicht da. Aber wie deine Lernvorbereitung muss auch die Klausur durchgeplant werden, schließlich ist verdammt viel aufs Papier zu bringen. Lies dir die Aufgaben mehrfach durch, kläre auch die popeligste Verständnisfrage, lehne dich zurück und sammle deine Gedanken.

Nicht wild drauflos schreiben!

Jetzt kommt der wichtigste Teil: deine Gliederung.
Da du eine sehr umfangreiche Abhandlung zu Papier bringen musst, ist die Gliederung das A und O. Du notierst dir also jetzt auf einem Zettel die Antwort in Stichworten bzw. den Lösungsweg in Einzelschritten. (In Naturwissenschaften kommt der Gliederung natürlich weniger Bedeutung zu und bei reinen Rechenklausuren kannst du sie dir sogar ganz ans Bein streichen.) Pfusche deine Gliederung nicht einfach hin, sondern durchdenke sie gut. Verknüpfungen von Unterrichtswissen mit dem Aufgabentext, eventuell Bezüge zum täglichen Leben etc. – alles muss in der Gliederung enthalten sein. Sie ist quasi das Rückgrat deiner Klausur. Arbeite dann mit der Gliederung noch einmal die Aufgabenstellung durch und überprüfe die logische Abfolge deiner Argumentation. Übertreibe es nicht, schließlich musst du den ganzen Klumpatsch ja auch noch zu Papier bringen. Aber 15–20 Prozent deiner Arbeitszeit dürfen für die Erstellung der Gliederung schon draufgehen. Dies hat viele Vorteile:

● Übersichtliche und logische Struktur deines Textes
● Keine Wiederholungen, nichts wird vergessen
● Optimale Nutzung der Arbeitszeit

- Du schreibst den Text in einem Zug und machst weniger Rechtschreibfehler, da du dich nur aufs Schreiben zu konzentrieren brauchst.

Du hast also jetzt deine Klausur in Stichworten vor dir liegen. Handele nun Aufgabe für Aufgabe ab. Stelle Fragen, mit denen du Probleme hast, zurück und kniffle sie nachher aus. Meist sind die Klausuren in drei Aufgabenbereiche gegliedert. Im ersten geht es oft ausschließlich um die Zusammenfassung des Vorlagetextes, also um »Textverständnis«. In diesem Sektor gibt es wenig zu holen und du solltest dich auch nicht allzu lange damit aufhalten. Im zweiten Bereich ist die so genannte »Reproduktion« gefragt, also die Wiedergabe von dem, was du gelernt hast, und die inhaltliche Verknüpfung mit dem Aufgabentext. Hier gibt es regelmäßig die meisten Punkte zu holen. Zum Schluss fordert Teil 3 von dir eine »Transferleistung«, du musst also Gelerntes mit Ungelerntem (politischem Tagesgeschehen, eigener Meinung etc.) in Verbindung bringen und bewerten. Hier gibt es weniger als in Teil 2, aber mehr als in Teil 1 abzustauben. Außerdem kannst du hier mit einem guten Allgemeinwissen, einer sinnvollen Struktur und ein wenig rhetorischem Budenzauber gute Bonuspunkte einfahren.

Überlege, wofür es die meisten Punkte gibt.

Mit dem Ende der Gliederung ist dann auch das Schlimmste überstanden. Jetzt gilt es nur noch, das Gegliederte auszuformulieren, sich dabei nicht allzu lächerlich auszudrücken, möglichst wenige Rechtschreibfehler zu machen, ordentlich zu schreiben (will man nicht das gesamte Prüfungskomitee gegen sich aufbringen) und im Übrigen den Zeitrahmen nicht zu sprengen.

Auf einige Formalien solltest du auch achten, denn obwohl es kein Lehrer zugibt: Das äußere Erscheinungsbild einer Klausur fließt indirekt in die Benotung ein. Eine mit krakeliger Sauklaue beschmierte, von Kaffeeflecken übersäte

Auch hier zählt Optik mit.

Klausur, in der jedes dritte Wort durchgestrichen und mit unleserlichen Verweisen auf Folgeseiten ergänzt wird, dürfte weniger gut benotet werden als eine durch Absätze übersichtlich strukturierte und gut leserliche Arbeit, die den Korrektor nicht lange aufhält. Dieser muss nämlich einen ganzen Berg von Klausuren korrigieren und ist von denen mit dem Prädikat »Krakel auf Klopapier« genervt. Halte, sofern nicht ohnehin vorgegeben, einen Korrekturrand von ca. drei cm ein und nummeriere die Seiten.

Lies dir zu guter Letzt dein Werk noch zweimal aufmerksam durch – einmal, um die Klausur auf guten Stil und eventuelle Wortwiederholungen zu überprüfen, und zum **Korrektur-** zweiten, um Rechtschreib-, Grammatik- und Zeichenset-**lesen nicht** zungsfehler auszumerzen. Schmiere jetzt nicht in der Klau-**vergessen.** sur herum, sondern streiche die betreffenden Worte durch und schreibe die korrekten mit einem Sternchen versehen an das Seitenende oder in den von dir ja freigelassenen Korrekturrand.

So, nun ist deine Klausur vorbei; wenn es die letzte schriftliche war, kannst du jetzt mit Freundinnen, Freunden, Kind und Kegel feiern gehen. Denn schließlich hast du allen Grund dazu. Du hast die schriftlichen Abiprüfungen so stressfrei, effizient und erfolgreich wie möglich hinter dich gebracht. Was einst riesig und unbezwingbar schien, hast du durch clevere Planung und geschicktes Management gemeistert. Herzlichen Glückwunsch!

checkliste
Schriftliche Abiprüfung

Vorbereiten – aber richtig
- Zeitig mit der Planung beginnen
- Organisiert vorbereiten

Lernmaterial sammeln
- Mit dem Lehrer Inhalte und Schwerpunkte ermitteln
- Klausurvorbereitungen zusammenstellen
- Lernhilfen (CD-ROMs oder Hefte) auswählen
- Lehrbücher (den Lehrer ggf. nach Literatur fragen)

Stoff einteilen
- Lernplan erstellen
- Fächer nacheinander, nicht parallel lernen
- Reihenfolge der Fächer sinnvoll auswählen
- Gelerntes an den Folgetagen wiederholen
- Ausgleichstätigkeit betreiben (Sport, Spazierengehen)

Lernen
- Tagespensum »ablernen«
- Den Lernplan einhalten
- Für ein ruhiges Arbeitsumfeld sorgen
- Mit »Checklisten« lernen (Erfolgserlebnis!)
- Tage zum Relaxen einplanen und auch konsequent einhalten

Abiprüfung
- Nicht spicken
- Aufgabenstellung genau studieren, ggf. fragen
- Gliederung sorgfältig erstellen
- Zweimaliges Korrekturlesen (Inhalt, Struktur, Rechtschreibung)

time to talk

time to talk

Das mündliche Abitur

Da glaubt man, das Schlimmste überstanden zu haben, und kämpft noch mit dem Kater nach den Feierlichkeiten anlässlich des Schriftlichen, da wirft es schon seine Schatten voraus: das mündliche Abitur!

Bei all der Aufregung um den schriftlichen Teil ist es völlig in Vergessenheit geraten und steht nun doch bald bevor – viele ratlose Gesichter und noch mehr Gerüchte um die beste Vorbereitung, die wichtigsten Themen und die schauerlichsten Märchen von fiesen und hinterhältigen Prüfern machen die Runde. Und während der schriftliche Teil noch viel Ähnlichkeit mit den schon oft durchgestandenen Klausuren hat, betritt jeder mit der mündlichen Prüfung Neuland. Resultat: Konfusion in der Vorbereitung, Stress bis über beide Ohren, Heulen und Zähneklappern am Prüfungstag und wenn es ganz dicke kommt, die große Ahnungslosigkeit in der Prüfung – letztlich also betretene Mienen auf Lehrer- und Schülerseite über die lumpige Zensur, die ein ansonsten guter Schüler kassiert!

So muss es nicht laufen!

Dir wird es so allerdings nicht ergehen, denn auch zum guten mündlichen Abitur gehören nur ein paar grundlegende Überlegungen und die richtige Strategie – schon verliert es an Schrecken und öffnet dir die Chance, wertvolle Punkte zu scheffeln.

licensed to kill – die erfolgskiller im mündlichen

Dem Erfolg im mündlichen Abi stehen wie so oft Angst, Stress und mangelnde Zeitplanung im Weg.

Die Angst basiert oft auf der Ungewissheit, die Situation nicht zu kennen und womöglich den Stoff nicht parat zu haben, sich also von Angesicht zu Angesicht mit den Lehrern zu blamieren. Daraus entsteht dann schon lange vor der Prüfung Stress, der sich verstärkt, wenn beim Lernen noch Zeitdruck hinzukommt. Letztlich leidet unter beidem die Qualität der Vorbereitung und somit meist auch das Endergebnis.

Um deinen Stress und deine Angst zu reduzieren, stellen wir dir hier die vier Angstkiller vor, die du einsetzen kannst, um dich ruhiger vorzubereiten:

❶ Kenne die Prüfungssituation!
❷ Wisse, was von dir in der Prüfung verlangt wird!
❸ Beherrsche den Prüfungsstoff!
❹ Trainiere die Prüfungssituation!

Gut gesagt, wirst du einwenden, aber realistisch?
Ja, absolut!
Die Prüfungssituation mal genauer unter die Lupe zu nehmen ist die einfachste, aber auch die effektivste Methode, Befürchtungen und Gerüchten über kreuzverhörähnliche Situationen oder tribunalartige Prüfer zu begegnen. Am besten, du siehst dir die ein oder andere mündliche Prüfung in einem Jahrgang über dir (ein Jahr vor deinem Abi) an. Frage möglichst den Lehrer, bei dem du dich auch prüfen lassen möchtest (am besten auch im gleichen Fach), ob er etwas arrangieren kann. (Gut also, wenn du frühzeitig weißt, welches deine mündlichen Fächer sind!)

Am besten ein Jahr vorher Probehören

Achte während der Prüfung darauf, welche Fehler (fachlich oder aus Unsicherheit) gemacht wurden, wie Lehrer und Prüfer darauf reagiert haben, wie die Atmosphäre auf dich wirkte, wie der Frage- und Aufgabenstil war, was dich störte und was du gut gefunden hast. Sprich hinterher wenn möglich mit dem prüfenden Lehrer und dem Prüfling über ihre Einschätzung und notiere, was dir in dieser Prüfung auf keinen Fall passieren soll.

Wenn auch einige deiner Mitschüler bei Prüfungen anwesend waren, so könnt ihr euch austauschen und euch gegenseitig einen guten Überblick über verschiedene Lehrer und Fächer im Abi verschaffen. Auch ehemalige Abiturienten können eine wertvolle Insiderquelle bezüglich Stoff und Prüfungsstil der Lehrer sein. Eines sollte aber nun eingetreten sein: Du weißt, was im Mündlichen abgeht – und Panik davor ist ein Fremdwort.

dahinter steckt ein kluger kopf – wissen, was drankommt

Ähnlich wie bei der schriftliche Prüfung gilt es auch vor dem mündlichen Abi die Themen möglichst eng einzugrenzen. Je genauer du weißt, was von dir verlangt wird, desto gezielter und Erfolg versprechender kannst du dich darauf vorbereiten. Dazu gehört, dass dein zukünftiger Prüfer möglichst früh wissen sollte, dass er mit dir im Mündlichen das Vergnügen haben wird. Das kann, je nach Lehrer, den Vorteil haben, dass er ein Auge auf dich hat und schon im Halbjahr bei einigen Themen auf die mündliche Prüfung verweist (umgehend notieren!) oder du auch das ein oder andere nützliche Referat auf diesem Wege halten kannst – bekanntlich die beste Vorbereitung aufs Mündliche überhaupt!

Themenfelder der Prüfung möglichst klar eingrenzen

Es ist natürlich selbstverständlich, dass du eine gute mündliche Mitarbeit in diesen Fächern liefern solltest – allein schon deshalb, weil auch dies für dich eine Möglichkeit darstellt, für die mündliche Prüfung zu üben.

Besondere thematische Vorlieben (unbedingt die Klausuren der Halbjahre aufheben!) des Lehrers lassen sich während des Halbjahres leichter erfragen als kurz vor dem Abi.

Wenn es dann in die heiße Phase geht, solltest du noch einmal das Gespräch mit deinem Lehrer suchen. Sage ihm, dass du nun zur Prüfung bei ihm angemeldet bist, welche Note du anpeilst (Vorschlag: etwas höher als deine mündlichen Halbjahresnoten), und frage ihn nach seiner Einschätzung. Bringe auch in Erfahrung, auf was er in der Prüfung besonderen Wert legt (Aufgabenstil, ggf. Eingrenzung des Themas). Bedenke, dass sich auch dein Lehrer als dein verantwortlicher Ausbilder bei einer solchen Prüfung blamieren kann, wenn du mit dem Thema komplett auf den Bauch fällst, weil er dich völlig im Unklaren lässt. Bei der Prüfung ist nämlich häufig sein Chef (Direktor oder Fachbereichsleiter) anwesend. Ein bisschen Bohren kann also Wichtiges zum Thema zu Tage fördern – auch im Interesse des Lehrers!

Manche Lehrer rücken mit Tipps raus.

wilde kreaturen – lehrer im mündlichen

Gerade in der mündlichen Prüfung hängen Prüfungsstil, Prüfungsverlauf und letztlich die Benotung sehr vom jeweiligen Lehrer ab. Deshalb an dieser Stelle wie auch schon beim schriftlichen Abi die fünf Lehrertypen und ihr jeweiliges Prüfungsverhalten als kleine Orientierung:

Beim **Samariter**, dem Lieben und Netten, steht oft die konstruktive Diskussion im Vordergrund. Nach seiner freundlichen und mitunter auch helfenden Weise könnte man meinen, in einer netten Plauderstunde über das Fach und den Rest der Welt gelandet zu sein. Stress legt sich hier schnell nach den ersten Minuten.
Aber Vorsicht: Auch wenn der Samariter selbst sich schon einmal gern voll labern lässt, sind die anderen Lehrer in der Prüfung davon meist nicht so angetan! Eine ordentliche Vorbereitung sollte also auch hier nicht zu kurz kommen

Wenn du gut vorbereitest bist, kannst du dich auf eine nette Plauderstunde freuen.

und ist auch nicht ganz so schwer, weil er mit Tipps im Vorfeld gerne und oft behilflich ist oder sogar einen Themenwunsch »zufällig« berücksichtigt. Beim Samariter lohnt es sich auch, bei der Übergabe der Aufgabenstellung (meist unter vier Augen) ein bisschen auf panisch zu machen, oft rückt er dann aus Mitleid mit Tipps raus. Gerade in der mündlichen Prüfung kannst du politisches Tagesgeschehen besonders wirkungsvoll einbringen.

Beim Schnarchsack ist viel Reden angesagt. Auch bei unserem **Schnarchsack**, dem mindermotivierten Nahezu-Pensionär, läuft die Prüfung in gemächlichen Bahnen. Er ist zwar mit den Tipps im Vorfeld etwas zurückhaltender, will aber in der Prüfung mit den anderen Kollegen nicht lange über deine Noten diskutieren müssen (ist nur unnötiger Stress für ihn) und wird dir schon aus diesem Grunde behilflich sein. Auch hier also eher ein freundliches, ruhiges Klima, das dem Prüfling Raum lässt zu zeigen, was er kann. Der Schnarchsack hört sich auch schon mal eine Antwort an, die nicht unbedingt zu seiner Frage passt.
Überhaupt ist bei ihm viel Reden angesagt! Er hasst nämlich knappe, präzise Antworten, nach denen er sich neue Fragen überlegen muss. Auch unsere Finten und rhetorischen Winkelzüge (s. Seite 123) ziehen bei ihm recht gut.

Tough – hier hilft nur eisernes Lernen. Wenn es nach dem **Scharfschützen** ginge, müsste jeder Prüfling mit akkurat gescheiteltem Haar »antreten« und würde dann im Stehen examiniert! Hier weht kein laues Lüftchen! Fachlich geht's zur Sache und vom zwischenmenschlichen Klima her läuft jede Totenmesse lockerer ab. Tröstlich für dich: Immerhin sitzen im Prüfungsraum ja noch zwei andere Lehrer, die der Atmosphäre nur zuträglich sein können. Außerdem bist du beim Scharfschützen vor Überraschungen sicher, er hält sich an das, was er als prüfungsrelevant angekündigt hat – Lernen ist somit auch das Einzige, was mit Sicherheit hilft.

Tipps zu diesem schwierigen Lehrertyp

- Knappe und präzise Antworten schätzt er sehr, auf keinen Fall herumlabern.
- Tritt möglichst selbstsicher (aber nicht arrogant!) auf. Ein souveränes Auftreten verschafft dir beim Scharfschützen Respekt.
- Politisches Tagesgeschehen besser nicht einbringen, sonst droht Diskussion mit dem politisch meist verbohrten Scharfschützen.
- Unsere Tricks und Floskeln (siehe unten) solltest du dir beim Scharfschützen lieber verkneifen, da er die Gelegenheit nutzen wird, um »den kleinen, unseriösen Wichtigtuer« vor dem versammelten Prüfungskomitee richtig in den Dreck zu ziehen.
- Bei Fragen, auf die du keine Antwort weißt, bietet sich höchstens die Formulierung an: »Darauf habe ich mich erst in zweiter Linie vorbereitet, im Wesentlichen habe ich mich auf blablabla konzentriert, da dort mein Interessensschwerpunkt liegt«. Mit etwas Glück gibt er dir in diesem Bereich noch eine Chance – Arbeit muss schließlich belohnt werden.
- Unbedingt auf gepflegte Kleidung achten (Weste, Kleid, ggfs. Krawatte), das stimmt ihn milde.
- Themeneingrenzung im Vorfeld ist ein aussichtsloses Unterfangen und höchstens mit der Formulierung »Worauf soll ich denn meinen besonderen Vorbereitungsschwerpunkt legen?« erfolgreich.

Auch die **Schlange** macht es Schülern oft nicht sonderlich leicht. Stellst du dich mit ihr gut (schenkst du also Lehrer und Fach Aufmerksamkeit), kannst du leichtes Spiel haben, bekommst Tipps, leichte Themen und wohlmeinende Hilfe in der Prüfung.

Wenn sie dich jedoch auf dem Kieker hat, gibt es nichts zu lachen.

Kommt darauf an, ob du mit ihr kannst oder nicht.

Tröstlich: Im Gegensatz zum Unterricht bei der Schlange schützen dich die anderen Prüfungsmitglieder vor krasser Fehlbeurteilung! Ein gepflegtes Auftreten ist aber auch hier nützlich. Im Übrigen sei auf die ausführlichen Tipps zum Scharfschützen verwiesen.

Will wissen, was du weißt, nicht, was du nicht weißt.

Der gute Freund ist meist kein besonderes Risiko für dich und deine Prüfung. Er will dich nicht auf die Nase fallen lassen, wird dich im Vorfeld ehrlich informieren und in der Prüfung nichts Unmögliches von dir verlangen. Er wird stattdessen sicherlich helfen, Nervosität zu senken, und steht auch im Vorfeld schon mal hilfreich zur Seite.

Finde auch möglichst bald heraus, wer außer diesem deinem eigentlichen Prüfer in der Prüfung anwesend sein wird (Vorsitzender und Protokollant), um auch hier Angst aus Ungewissheit zu vermeiden.

stoff zum erzählen – das thema beherrschen

Aktives Wissen zählt.

Wenn nun in etwa feststeht, was dich im Abi erwartet, geht es ans Lernen. Das läuft fürs Mündliche allerdings etwas anders als deine Vorbereitung auf das schriftliche Abitur. Dort galt es zwar auch, Fakten zum Thema zu beherrschen, doch im Schriftlichen spielt Detailwissen eine größere Rolle, über das du in Ruhe nachdenken kannst, um es dann aufzuschreiben. Im Mündlichen dagegen geht es um aktives Wissen, das relativ spontan als Antwort auf eine Frage zur Verfügung stehen muss. Es werden also selten genaue Jahreszahlen oder spezielle Formeln und Herleitungen verlangt, eher wird es um deine Fähigkeit gehen, thematische Bezüge herzustellen, Dinge einzuordnen und dieses Wissen überzeugend zu präsentieren. Dieser Unterschied wirkt sich natürlich auch auf deine Vorbereitung aus.

Oberste Priorität hat auch hier wieder mal die Zeitplanung: Welche Menge Stoff muss in welcher Zeit gelernt werden und wie lange brauche ich dafür? Mache dir wie im schriftlichen Abitur möglichst früh einen Lernplan und halte dich an ihn! So vermeidest du unnötigen Stress aus Zeitmangel. Während mancher nach dem schriftlichen Abi erst einmal in den Urlaub saust oder permanent besoffen durch die Kneipen tourt, sollte für dich nach der einen oder anderen Feier der Blick auch auf die letzte Abihürde fallen.

Lernplan aufstellen und einhalten.

Trage wie beim Schriftlichen alles zusammen, was für die Prüfungsfächer wichtig ist. Plane nun etwa ein Drittel der Zeit zum reinen Lernen der Fakten ein, ein weiteres Drittel, während dessen du das Vortragen deines Wissens übst, und das letzte Drittel zum Trainieren der eigentlichen Prüfungssituation und als Reserve, wenn mal was dazwischenkommen sollte oder Fragen zu klären sind. An Zeit fehlt es zwischen mündlichem und schriftlichem Abi fast nie – Zeitmangel ist somit absolut vermeidbar!

Das reine Lernen des Stoffes kannst du nun so machen wie schon beim schriftlichen Abi, kannst dir jedoch den Luxus leisten, nicht mehr jede Kleinigkeit in dich hineinprügeln zu müssen.

Eines solltest du dir aber in dieser Phase der Vorbereitung angewöhnen: einen Text zu lesen, Stichworte zu notieren und diese dann in freien Worten wiederzugeben (am besten vor Zuhörern, um Lampenfieber zu bekämpfen!), denn genauso läuft's im Abi! Mit den Stichworten fasst du den Inhalt zusammen, aber auch gute Formulierungen oder Bezüge, die dir dazu einfallen, sind wichtig – ebenso wie Fragen, sollten sie zum Thema auftauchen. In Sachen Redekunst lies dir am besten noch einmal unsere diesbezüglichen Tipps in »Das Referat« durch. Halte also deiner Schwester oder deinem kleinen Neffen doch mal einen interessanten Kurzvortrag über die Quantengravitation.

Trainiere möglichst oft die Prüfungssituation.

Die letzte Phase könnte im Idealfall so aussehen, dass du dich mit anderen Prüflingen in deinem Fach zusammentust und ihr gemeinsam die Prüfungssituation simuliert. Das kann nicht nur ganz lustig werden, sondern bringt Routine im mündlichen Beantworten von Fragen und schließt auch noch die ein oder andere Kenntnislücke. Nebenbei lässt sich so in der Gruppe auch noch etwas gegen den Stress tun – schließlich macht Gemeinsamkeit stark. Zwei spielen also das Prüfungsteam und nehmen den Dritten ordentlich in die Mangel (bohrende Fragen, Unterbrechen während der Antwort etc.) – und das reihum. Je öfter du diese Situation übst, desto weniger wird sie dich während der Prüfung durcheinander bringen. Dein Erfolg rückt in greifbare Nähe!

der show-down – kurz vor der prüfung

Wenn nun der erlösenden Prüfungstag da ist, stellt sich schon am Abend zuvor die Frage: Was ziehe ich an? Während unsere Eltern noch einheitlich in Anzug und Krawatte bzw. Rock und Bluse im Abitur gesessen haben, wird das heute lockerer gehandhabt. Wer jedoch erscheint, als hätte ihn der Kammerjäger gerade aus der Kloake gefischt, zeigt nicht sonderlich viel Respekt vor der Prüfung und allen beteiligten Lehrern – ob das hilfreich ist, muss jeder für sich entscheiden.

Sei sicher, deine Lehrer wissen, dass du fürchterlich nervös und schweißgebadet bist. Sie werden dich kaum auf offener Bühne vorführen und auch keinen perfekten Vortrag von dir erwarten. Ein gewisses Maß an Unsicherheit und Nervosität ist ihnen vertraut und sympathisch – sie werden dir helfen! Wenn allerdings die Pferde mit dir durchgehen und du mit zerfressenen Fingernägeln vor Nervosität kreischend deine Zähne in die Auslegeware

Die Lehrer wollen dich nicht reinreißen.

schlägst, drängt sich dem Lehrpersonal der Verdacht auf, dass du vom Stoff keinen blassen Schimmer hast – gute Note ade!

Wie geht die Sache los? Zunächst beginnt das Mündliche ja im stillen Kämmerlein, dem Vorbereitungsraum. Hier bekommst du die Aufgabe präsentiert und dein Lehrer wird dir für Rückfragen noch einige Zeit zur Verfügung stehen. Sollte es auch nur die kleinste Frage geben, so musst du sie auf jeden Fall stellen, je nach Lehrertyp kann es sich auch lohnen, ein bisschen auf panisch und übernervös zu machen, um noch den einen oder anderen Tipp abzustauben. Schließlich will sich ja auch dein Prüfer mit dir (dem Resultat seiner pädagogischen Kompetenz) nicht vor seinem Chef blamieren. So mancher Pauker rückt dann schon mal mit einem Hinweis raus!

Vorbereitung im stillen Kämmerlein

Deine Notizen, die du dir dann machst, sollten auf jeden Fall deutlich und vor allem groß geschrieben sein. Vermeide ganze Sätze und arbeite mit Spiegelstrichen und Nummerierungen, um die Übersicht zu behalten.

Gerade in den Naturwissenschaften kann von diesem Schema natürlich abgewichen werden, was dich aber nicht beunruhigen sollte. Durch deine Erfahrungen aus dem Zusehen bei solchen Prüfungen hast du ja schon einen ungefähren Eindruck, wie es dort abläuft, und wirst kaum überrascht sein.

zum letzten mal schüler – in der prüfung

Wenn du dann von deinem Lehrer aus der Vorbereitung abgeholt wirst und mit klopfendem Herzen zum Prüfungsraum geführt wirst, ist es Zeit noch einmal tief Luft zu holen und sich in mutig in die Schlacht zu stürzen.

Die Prüfung vergeht schneller, als du denkst. Nach ein paar unverbindlichen Worten von Seiten der Anwesenden werden die ersten (meist leichten und allgemeinen) Fragen gestellt, die dir den Einstieg erleichtern und dich etwas auflockern sollen. Und du wirst staunen: Wenn du erst einmal so weit bist, vergeht die Zeit schneller, als du glaubst. Der letzte Akt in deiner Schullaufbahn hat begonnen!

Dennoch: Auch bei vermeintlich leichten Fragen gilt – erst denken, dann antworten! Nimm dir Zeit zur Beantwortung der Fragen, zu denen du eine Menge sagen kannst! Sei ausführlich. Die Prüfung kann nicht ewig dauern, da ein **Sei ausführlich, wenn du etwas weißt.** Zeitlimit gesetzt ist. Und wenn du redest, kann dir niemand dumme Fragen stellen. Auch deinen Prüfern ist es recht, wenn du nicht zu knapp antwortest, so müssen sie weniger Fragen stellen. Hau ihnen also einfach dein Wissen um die Ohren wie ein nasses Handtuch, irgendjemand wird dich schon unterbrechen.

Achtung: Falle

Das gilt aber nur für Fragen, von denen du Ahnung hast. Die Prüfer merken schnell, wenn du nur laberst, um Zeit zu schinden. Damit verhinderst du möglicherweise, dass sie zu den Punkten kommen, zu denen du vielleicht wirklich was zu sagen hast. Bei denen heißt es aber immer: Keine schnellen und knappen Antworten, schließlich befindest du dich nicht in der Schnellraterunde einer Nachmittagsquizshow. Und gerade zum Ende der Prüfung hin, wenn auch die Fragen schwerer werden, tapst du so schnell in eine Falle!

keine antwort? kein problem –
der floskelkatalog

Verdammt – eine Frage, auf die du keine Antwort weißt! Nun gibt es zwei Möglichkeiten. Entweder du versuchst dein Unwissen durch geschicktes Tricksen zu verbergen oder du gibst ganz offen zu, dass du die Frage nicht beantworten kannst. Manche Lehrer werden dir deine Ehrlichkeit sogar anrechnen. Wir würden dir eher zur ersten Alternative raten, denn obgleich der eine oder andere Lehrer natürlich merken wird, dass du die Frage mit einer Finte parierst, wird er positiv zur Kenntnis nehmen, dass du nicht kampflos aufgibst und etwas versuchst – also nur Mut. Hier ist deine Menschenkenntnis gefragt, ob dein Lehrer es eher goutiert, wenn du dein Unwissen beichtest, oder ob eher Tricksen gefragt ist.

Nicht kampflos aufgeben!

Jetzt musst du einen klaren Kopf bewahren. Versuche zunächst, Zeit zu schinden, wenn du nicht gleich weiterweißt, indem du Richtiges von vorher wiederholst, etwa »Wir hatten ja eben schon festgestellt, dass blablabla« oder »Aus dem Text geht ja hervor, dass blablabla«.

Mitunter ziehen Ablenkungsmanöver wie »Die Frage geht ja in die Richtung blablabla« (dann etwas, das du sicher weißt) oder »Genau, in dieser Frage zeigt sich ja auch das grundsätzliche Problem, nämlich blablabla«. Versuche dann auf Grundsätzliches und dir Bekanntes einzugehen.

Noch dreister, aber auch beeindruckender, ist das Umdeuten der Frage, um eine andere aufzuwerfen, wie z.B. »Sicherlich, auch ein wichtiger Aspekt, aber zunächst stellt sich doch ein ganz anderes Problem und zwar blablabla« oder »Ich versteh die Frage als Bezug auf blablabla, wo wir ja schon festgestellt hatten, dass …«.

Du kannst Fragen auch umdeuten.

Denkbar ist es auch, dir zunutze zu machen, dass sich dein Lehrer angesichts der Anwesenheit von zwei Kollegen nicht mit dir blamieren will. Sollte zum Beispiel die Aufgabenstellung des Lehrers schwammig oder in Nuancen missverständlich daherkommen, kann es bei manchen Lehrern möglicherweise Gewinn bringend sein, diese zu kritisieren (also die Fragestellung, nicht die Lehrer) mit dem Ziel, auf diese Weise sofort zur nächsten Frage überzugehen, oder Ausführungen über Grundsätzliches und Bekanntes herauszupulvern. Ebenso kann es helfen, wenn du auf dem Schlauch stehst, mit der Formulierung aufzuwarten »Das haben wir ja im Unterricht nur am Rand behandelt, infolgedessen habe ich mich bei meinen Vorbereitungen im Wesentlichen auf blablabla konzentriert«. Der Lehrer wird vermutlich darauf umschwenken, um sich vor seinen Kollegen keine Blöße zu geben, denn du hast ja deine Vorbereitung angeblich streng an der Themengewichtung im Unterricht orientiert.

Frage nicht verstanden!? Oder gib vor, die Frage nicht verstanden zu haben – dein Lehrer ist es ja gewöhnt, dass Schüler auf seine Fragen manchmal keine Antwort wissen, dass jedoch die Frage an sich schon nicht nachvollzogen wird, dürfte ihn zumindest verwirren. Da dein Lehrer kaum Lust verspüren wird, sich in Anwesenheit zweier Kollegen mit einem seiner Schüler über die Themengewichtung in seinem Unterricht zu streiten, wird er die Frage also wahrscheinlich umformulieren und so vielleicht etwas von der Lösung preisgeben oder dir die Möglichkeit eröffnen, die Frage, wie oben erwähnt, umzudeuten.

Wenn du eine Frage tatsächlich nicht verstanden hast oder im ersten Moment einfach nicht weißt, was der Prüfer von dir wissen will, hilft es oft, die Frage noch einmal mit eigenen Worten zu wiederholen: »Habe ich Sie richtig verstanden, dass Sie wissen wollen, ob blablabla?«

Als letzte Notbremse bei null Ahnung geht dann nur noch »Die Frage habe ich mir auch schon gestellt, allerdings ohne eine Antwort zu finden!«

Tipp

Was in nahezu jeder Prüfung wie eine Rakete zündet, ist das Einbringen von aktuellen Themen aus Politik, Wirtschaft und Wissenschaft zum Abithema. Du solltest also auf jeden Fall im Vorfeld deiner Abivorbereitungen mal einen Blick in die Zeitung riskieren. Gerade in Fächern wie GK, Geschichte oder Deutsch (Literatur ist meist politisch oder gesellschaftskritisch) kannst du richtig vom Leder ziehen. Wenn du also als einigermaßen clevere Schülerin von einer Frage zu *Der Steppenwolf* auf aktuelle politische Themen wie Kriege, Wertvorstellungen der Gesellschaft, Nationalismus etc. kommst und diese damit in Verbindung setzt, wirst du einen Volltreffer landen und dich in den Augen der genervten Lehrer erfrischend positiv von den vielen stotternden, bibbernden Gestalten abheben, die jede Frage mit einem dahingeblökten »Ja« oder »Nein« abfrühstücken.

Aktuelle Themen einbringen – das bringt Punkte.

checkliste
Mündliches Abitur

Kenne die Prüfungssituation

- Möglichst im Jahr vorher bei Abiprüfungen gasthören, Notizen und Auswertung machen
- Andere Schüler und Lehrer befragen

Wisse, was drankommt

- Möglichst früh das Prüfungsfach wählen und den jeweiligen Lehrer informieren
- Gespräch mit dem Lehrer über mögliche Themen und die angepeilte Note führen
- Übrige Mitglieder des Prüfungskomitees ermitteln
- Hinweise notieren

Beherrsche den Stoff

- So früh wie möglich Lernplan erstellen
- Einteilung
  - ca. 1/3 Lernen wie beim Schriftlichen
  - ca. 1/3 Üben, diese Fakten nach Stichworten mündlich vorzutragen
  - ca. 1/3 Prüfungssituation simulieren, Reserve für Unerwartetes und Fragen

Prüfung

- Jede Frage zur Aufgabenstellung klären
- Antworten nur in Stichworten und groß schreiben
- Erst denken, dann antworten
- Zeit nehmen für Antworten, die du sicher beherrscht
- Wenn nichts mehr geht, den Floskelkatalog ausschöpfen

noch ein paar worte zum schluss ...

Zunächst möchten wir uns bei Studiendirektor Hansgeorg Kling bedanken, der dieses Buch als wohlwollender Mentor begleitete. Ein Dank geht daneben an Werner Gröll, der die Entstehung auch dieses Buches mit seiner bemerkenswerten Kochkunst unterstützt hat.

Der Verlag und die Autoren bedanken sich bei INFOFON, dem telefonischen Beratungs- und Informationsdienst von Jugendlichen für Jugendliche in München für die Unterstützung bei der Entstehung dieses Buches. INFOFON ist erreichbar täglich von 17 bis 22 Uhr unter 089/121 50 00.

Schreib uns!

Auf Kritik, Anregungen oder einfach auf deinen persönlichen Erfahrungsbericht mit unserer Strategie freuen wir uns. Wir antworten auf jeden Fall! Unsere Adresse lautet:

> Christian Gröll und David Sehrbrock
> c/o Kösel-Verlag GmbH & Co.
> Postfach 19 05 44
> 80605 München

Oder per E-Mail: cleverdurchdieschule@gmx.de

Wenn du Lust hast, dann besuche doch mal unsere Homepages

> www.cleverdurchdieschule.de
> oder
> www.cleverzumabitur.de

und mach dich auf einige Überraschungen gefasst!

Lust bekommen auf weitere Themen?

Christian Gröll/David Sehrbrock
Clever durch die Schule
Managementstrategien für bessere Noten
ISBN 3-466-30508-X

Ekkehart Baumgartner
Check it out
Deine Rechte als Jugendlicher
ISBN 3-466-30506-3

Ekkehart Baumgartner
Schule geschafft – und dann?
Job? Ausbildung? Studium? Beruf?
ISBN 3-466-30536-5

Kathrin Seyfahrt
SuperSchlank!?
Zwischen Traumfigur und Essstörungen
ISBN 3-466-30531-4

Sascha Krefft
Verpiss dich!
Selbstschutz und Selbstverteidigung
für Mädchen und junge Frauen
ISBN 3-466-30510-1

Petra Göttinger
friends 4 you
Alles über Freundschaft
ISBN 3-466-30525-X

Alle Bände ca. 128 Seiten, Klappenbroschur

make a change ist die Reihe für dich!

Auch im Internet unter www.koesel.de